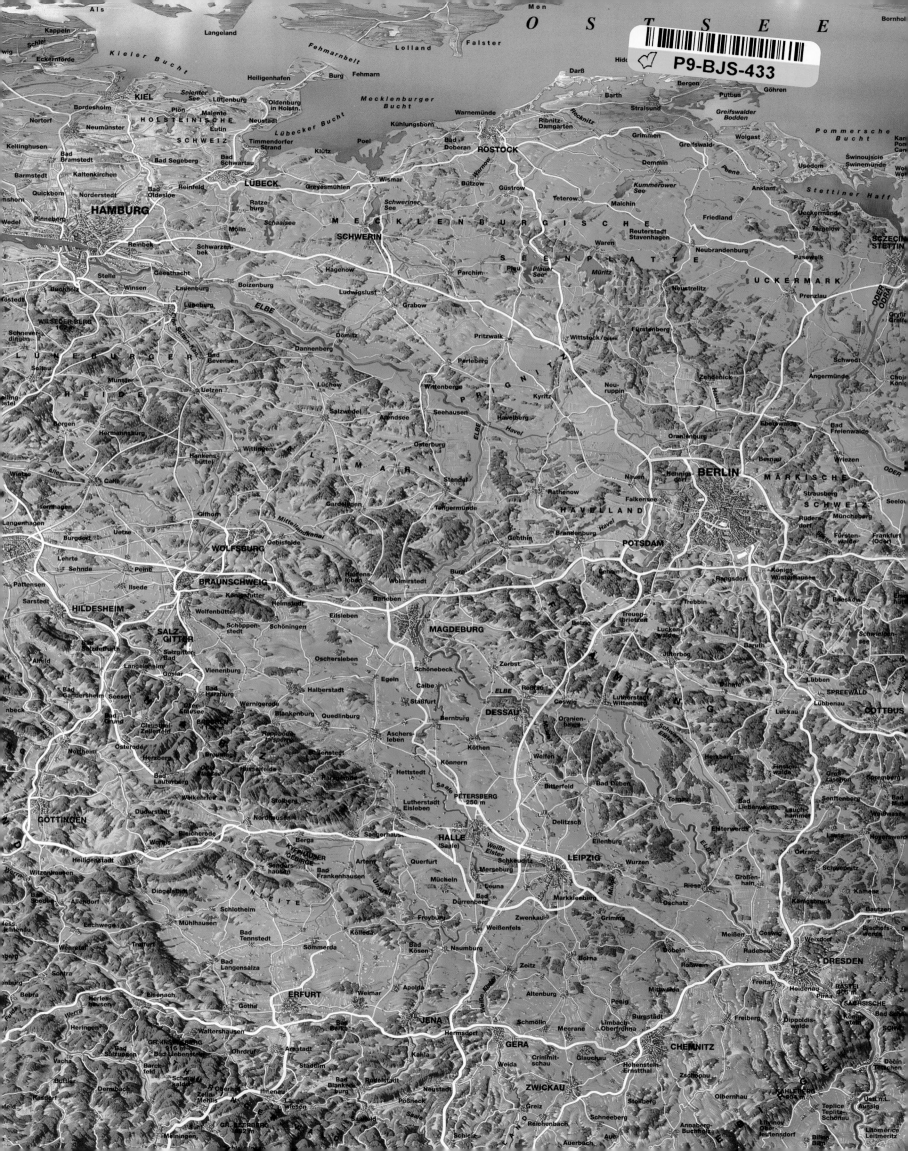

Deutschland

IM FARBBILD · GERMANY · L´ALLEMAGNE

 ZIETHEN-PANORAMA VERLAG

BILDFOLGE – CONTENTS – CONTENU

Peter von Zahn

Deutschland – ein Märchen

Es ist nicht einfach, festen Boden unter den Füßen zu gewinnen, wenn man von Deutschland spricht. Im Norden ist es einst aus dem Meer gestiegen, und reichte dieses in die historische Zeit bis tief ins Land hinein. Wo jetzt in Schleswig-Holstein eine flache, grüne Ebene über einen Brandungsstreif aufs Wasser blickt, zeigen die Karten des späten Mittelalters ein Inselgewirr. Durch Eindeichungen verwandelte es sich allmählich in zusammenhängendes Land. Die Sagen der Nordseeküste erzählen von Wasser und Sturm und dem unablässigen Kampf des Menschen um sein Stückchen Land.

Der Menschenschlag, der sich hier bildete, hat viele Ecken und Kanten. Die Häuser stehen einzeln auf niedrigen Bodenerhebungen. Bei einer Sturmflut klopft das Meer an Tür und Küchenfenster. Eine Kette von Inseln ist dem Festland vorgelagert. Das Leben ihrer Bewohner würde sich heute fast noch genau so abspielen wie einst, wenn nicht seit etwa 100 Jahren die Flut der Urlauber die Inseln an der Nordseeküste im Sommer überschwemmen würde. Leute aus dem Binnenland tummeln sich in der Brandung und liegen erst blass und dann braun im Sand der Dünen. Seit der Wiedervereinigung Deutschlands haben die Touristen auch die langen, sandigen Küsten der Ostsee wiederentdeckt. Hier geht es nicht ganz so stürmisch zu. Die Natur ist zahmer, der Wellengang schwächer. Die Inseln und Halbinseln, die dem Lande vorgelagert sind, ähneln Trittsteinen, über die man bequem nach Dänemark und Schweden gelangt.

Das Unerwartete ist in Deutschland die Regel. Dem langjährigen französischen Botschafter Jean François-Poncet wird die Äußerung zugeschrieben: „Wenn man von einem Deutschen erwartet, dass er sich teutonisch gibt, reagiert er wie ein Römer. Versucht man es dann mit lateinischer Logik, entschlüpft er plötzlich mit slawischem Charme."

Der Hexenkessel der Jahrhunderte wirbelte die Gene der Deutschen kräftig durcheinander. In Deutschland entstand ein Sammelsurium europäischer Eigentümlichkeiten. Seine Zivilisation entstammt dem römischen Weltreich. Von dort kam mit dem Wein von irischen Mönchen auch das Christentum zu den Germanen. Allmählich verbreitete sich die neue Religion nach Norden und gen Osten. Die Menschen dort gaben es den slawischen Stämmen an Elbe und Oder weiter.

Die Römer sind mit ihrer tüchtigen Militärverwaltung nie bis in die norddeutsche Tiefebene gelangt. Die Nachkommen der ungezähmten Germanen, die dort leben, pochen noch heute auf ihre Unabhängigkeit.

Sie nannten sich Sachsen oder hießen Angeln. Nachdem sie als Vorläufer der skandinavischen Wikinger jenseits der Nordsee ein beträchtliches Stück Englands besiedelt hatten, gingen sie als Angelsachsen in die Weite der Weltgeschichte ein. Sie gaben ihr einen Verlauf, den die daheimgebliebenen Sachsen nicht ahnen konnten. Nach der zwangsweisen Bekehrung durch Karl den Großen wurden sie, die Sachsen, in östlicher Himmelsrichtung tätig und brachten den slawischen Stämmen zwischen Ostsee und Elbe das Vaterunser bei. Ihr bedeutendster Herzog erhielt den Beinamen „Heinrich der Löwe". Seine Frau war eine englische Prinzessin. Unter ihrer Herrschaft begann die Vermischung zwischen Germanen und Slawen, die sich bis in unser Jahrhundert fortgesetzt hat.

Einwanderer vom Rhein und vom Main kamen. Sie gründeten inmitten der slawischen Dörfer zwischen Elbe und Weichsel ihre Städte nach deutschem Recht, Klosterschulen nach lateinischem und Verwaltungskanzleien nach römischem Recht. Dort, wo Herzog Heinrich der Löwe seine Städte einst gegründet hatte, verliefen zwischen 1945 und 1989 Gräben, Wachttürme und Stacheldraht – die Außenposten des russischen Weltreichs. Seit der unblutigen Revolution von 1989 sind sie verschwunden. Die Bürger der Bundesrepublik besuchen wieder die Backsteindome von Rostock und Greifswald, sie entdeckten erneut die Barockpracht des Zwingers in Dresden, sie erklimmen die „Bastei" und blickten von dort in die schroffen Klüfte des Elbsandstein-Gebirges hinab. Die Einwohner von Mecklenburg und Sachsen, von Thüringen, Sachsen-Anhalt und Brandenburg entdecken ihrerseits den Westen Deutschlands neu, der ihnen so lange versperrt gewesen war.

Die neue Reisefreiheit bedeutet auch, dass man in Rostock, Sassnitz oder Lübeck einfach die Auto- oder Eisenbahnfähre nach Skandinavien besteigen kann, um entspannt die Überfahrt zu genießen. Lübeck war drei Jahrhunderte lang das Zentrum der Hanse – eine Vereinigung, die als Vorläufer der heutigen Europäischen Gemeinschaft gelten kann. Der Sicherheitsbund für den Handel der angeschlossenen Kaufmannsstädte erstreckte sich von Flandern quer durch Nordeuropa bis nach Nowgorod und ins norwegische Bergen. Der Handel brachte den Ratsherren Einfluss, den Handelshäusern Reichtum und den Bürgern jenen backsteinernen Stolz, den das Holstentor, die Kirchen und das alte Rathaus von Lübeck noch heute ausstrahlen. Hamburg und Bremen, die beiden großen Seehäfen an der Nordsee, fühlen sich immer noch vom Geist der Hanse beseelt.

„Der Wald steht schwarz und schweiget und aus den Wiesen steiget

der weiße Nebel wunderbar.“

Der Dichter Matthias Claudius hat den sanften Schauer umschrieben, den so manche deutsche Landschaft in uns auslöst – und nicht nur in uns. Die europäischen Nachbarn im Westen und Süden haben häufig Betrachtungen angestellt über das rätselhafte Verhältnis der Deutschen zur Natur, genauer gesagt zu ihrem Wald.

Doch vergleicht man den Waldmythos mit der Wirklichkeit, sieht alles etwas anders aus: Der Wald ist längst kein Urwald mehr, in den sich die römischen Legionen ungern hineinwagten, kein Dickicht, das im Mittelalter die Köhler mit ihrem Qualm erfüllten – er ist ein Forst mit Nummern und bunten Bezeichnungen, aufgestellt wie eine Kompanie preußischer Soldaten.

Wald ist potenzielle Kohle. Unter dem Gebiet nördlich der Ruhr liegen enorme Wälder, vor Millionen von Jahren durch das Gewicht tausend Meter dicker Gesteinsschichten zu Kohleflözen zusammengepresst. Das war die Grundlage für die deutsche Schwerindustrie: aufgespeicherte Massen schwarzer Energie. Die andere Voraussetzung war der Zustrom junger Männer aus den Ostprovinzen – billig und willig, fleißig und genügsam. Die dritte Voraussetzung war die technische Fertigkeit der Ingenieure und Bergleute. Sie holten die Kohle aus ihrer tiefen Ruhestätte und verhütteten sie zu Eisen und Stahl. Und schließlich gehörte dazu die Nähe der anderen Industriegebiete Europas; die Schwergewichte von Eisen, Koks und stählernen Maschinen schwammen über die Wasserwege Ruhr und Rhein zu dem, der sie brauchte.

Das Ruhrgebiet befindet sich heute in einer Umgestaltungsphase von Schwerindustrie auf Hightech. Die Menschen an der Ruhr stammen fast alle von Einwanderern ab und sind hier heimisch geworden – und wollen auch nicht mehr fort. Natürlich ist die Heimat zwischen Zechen und Hochöfen nie so ansehnlich gewesen, wie das Tal der Mosel oder die Alpenkette. Doch die Zechen werden weniger: Wo sie einst rauchten, bilden sich heute grüne Oasen. Das Ruhrtal südlich von Essen gleicht bereits einer Kur- und Urlaubslandschaft.

Der ökonomischen Logik zufolge wird sich das Ruhrgebiet weiterhin wandeln. Es war 150 Jahre lang das deutsche, vielmehr das europäische Kraftwerk. Doch die deutsche Wirtschaft lebt heute mehr und mehr vom Export feinster Apparate. Heute wissen die Menschen im Industrierevier, dass nicht nur Kohle und Erz den Reichtum eines Volkes ausmachen. Allerorten zwischen Düsseldorf und Dortmund verändern Universitäten und technische Lehranstalten das Panorama der Städte. Der ergiebigste Rohstoff und seine beste Verarbeitungsstätte zugleich ist nun einmal das menschliche Hirn.

Es war eine Zeit lang auch unter Deutschen üblich, eine Grenzlinie ihrer Zivilisation in Gestalt des Limes zu sehen. Mit dieser großen Befestigung schützten die römischen Kaiser das kultivierte Germanien, also Süd- und Westdeutschland, vor den Einfällen aus dem „wilden" Germanien des Nordens und Ostens. Theorien besagen, dass die Stämme innerhalb des Limes eine schnellere kulturelle Entwicklung durchliefen. Die außerhalb Befindelichen hinkten in ihrer Entwicklung hinterher. Aus Sicht der Kritiker konnten aus ihnen nur Lutheraner und Bilderstürmer, preußische Feldwebel, Bismarckianer oder Sozialdemokraten werden – aber keine gemütlichen Deutschen. Umgekehrt galten seit jeher bei den „Nordlichtern" die Menschen südlich des Mains (also des Limes) als unsichere Kantonisten, harter Arbeit abgeneigt, ungebildet und technisch unbegabt.

Als Theorie der Ursachen kultureller Unterschiede taugt diese Geschichte nicht viel. Warum entstand im nüchternen Nord- und Ostdeutschland die Musik von Schütz, Händel und Wagner, während im technisch „zurückgebliebenen" Süden der Bau von Kathedralen, Patrizierhäusern und Palästen seine höchste Blüte erreichte? Und doch: Irgendwie ändert sich an Rhein und Main das Lebensklima. Der Limes erklärt nicht das Entstehen des Protestantismus, aber er trennt – eher zufällig – den nüchternen Protestantismus von den überwiegend katholischen Landen.

Letzten Endes liegt der Unterschied auf einer anderen Ebene: in der Einstellung zum Heiligen Römischen Reich Deutscher Nation. Es umfasste in seinem tausendjährigen Bestehen mehr als das, was heute Nord-, Ost- oder Süddeutschland genannt wird; ein gutes Stück von Europa gehörte dazu. Sein Schwerpunkt lag in den Reichsstädten und kleinen Residenzen. Die Geburtsstadt Goethes, die Freie Reichsstadt Frankfurt, gehörte dazu, und die Stätte seines Wirkens, das großherzogliche Weimar in Thüringen. Hier verband ein dichtes Geflecht altgeheiligter Rechte und Pflichten den Untertan mit seiner Obrigkeit. Der Kaiser mit seinen Gerichten sollte darüber wachen, dass keiner in seinen Rechten gekränkt wurde. Daraus entstand über die Jahrhunderte ein eher zutrauliches und sorgsames Verhältnis zwischen unten und oben.

Dagegen wurden die Territorien des Nordostens rationell und fortschrittlich in wenigen großen Verwaltungseinheiten regiert. Vom Untertan verlangten die Herrschenden vor allem Gehorsam. Zwischen dem Bauern am Main und seinem Kaiser gab es den Abt der Reichsabtei im Nebental; da war der Kaiser nahe. Zwischen dem Bauern in der Altmark und seinem Kaiser aber gab es außer dem zuständigen Grundherren noch den Landrat und hauptsächlich den König von Preußen, da war der Kaiser weit. Der Schwerpunkt des alten Reichs lag am Rhein. Zwischen den alten Münstern und Kathedralen von Xanten, Köln, Bonn, Mainz, Speyer und Worms spannt sich heute die Kette der Kraftwerke, Fabrikhallen und Verwaltungshochhäuser, von deren Arbeit ein beträchtlicher Teil der Deutschen lebt.

Aufschlussreich ist auch das Verhältnis der Völker zu ihren Hauptstädten. Die Franzosen sehen ihre Metropole als Hauptstadt der Welt, obwohl sie, wenn sie nicht selbst einer sind, die Pariser nicht ausstehen können. Die Amerikaner halten von ihrer Hauptstadt Washington D.C. nicht viel, wie von der Regierung dort. Die Deutschen haben während ihrer gesamten Geschichte nur einmal, erst nach der Gründung des Deutschen Kaiserreichs 1871, für 75 Jahre eine eigentliche Hauptstadt besessen, nämlich Berlin, und die haben sie nicht sonderlich geliebt.

Nach dem 2. Weltkrieg war Berlin 30 Jahre lang durch die Mauer in zwei Teile zerlegt. Seine westliche Hälfte war durch ihre Insellage ständiger Erpressung ausgesetzt. Die Mauer fiel am 9. November 1989 unter dem Beifall der ganzen Welt. Berlin ist nun wieder Hauptstadt und Regierungssitz von Deutschland. Seit der Wiedervereinigung hat eine rasante Bautätigkeit das Gesicht der Stadt erheblich verändert. Berlin entwickelt sich wieder zum deutschen Zentrum für Wirtschaft und Kultur mit europäischer Ausstrahlung – und das gleichzeitig mit einem türkischen Bevölkerungsanteil, der einer Großstadt in der Türkei entspricht.

Bonn hat hingegen als ehemaliges Hauptquartier der II. Römischen Legion (Minerva) den Berlinern gute zwölfhundert Jahre als Stadt voraus. Die Prachtstraßen der „provisorischen Hauptstadt" sind aus der Zeit, als der regierende Souverän, ein Erzbischof von Köln, Kurfürst und erster Paladin des Reiches war. Schon allein Beethovens Geburtshaus reicht vollkommen aus, bei Besuchern einen Anflug von Andacht zu erwecken. Mit den großen und lebendigen Nachbarn Köln und Düsseldorf bildet im rheinischen Verbund die Bundesstadt Bonn inzwischen eine der dynamischsten Regionen Deutschlands.

München und Stuttgart sind gute Beispiele für den Ausbau von Wirtschaft und Industrie in den südlichen Bundesländern. Beides sind ehemalige Residenzen wichtiger Reichsfürsten – München als Regierungssitz ist sogar fast so alt wie der Staat Bayern selbst. Stuttgart entwickelte sich langsamer zur Legende – wohl weil die schwäbischen Landesherren zu Zeiten des Staufergeschlechts gern in kaiserlichen Geschäften unterwegs waren, mal in Italien, mal im Heiligen Land. Aber Stuttgart hat aufgeholt.

Herzhafte Antipathien zwischen Nord und Süd, Ost und West gehören zu Deutschland wie die böse Fee in ein Märchen. Die technische und militärische Überlegenheit der Preußen im 19. Jahrhundert ließ sie auf die Staaten südlich der Mainlinie mit schlecht verhüllter Verachtung herabschauen. Der Berliner galt umgekehrt in Bayern als großmäulig, in Schwaben als indiskret. Aber während man im Norden der Mainlinie noch damit beschäftigt war, bayerische Politik als Wirtshausrauferei und schwäbische Bewohner als biedere Häusle-Bauer darzustellen, siedelten sich die Zukunftstechnologien vornehmlich in Süddeutschland an. Der Unternehmer galt dort nicht von vornherein als Ausbeuter. Er begegnete einer gebildeten und weitsichtigen Verwaltung und einer strebsamen Bildungslandschaft.

Das Ergebnis dieser Entwicklung lässt sich an neuen Industriestrukturen ablesen. Die ländliche Umgebung Stuttgarts und Münchens verwandelte sich in Zentren hoher industrieller Leistung. Unternehmen wie die Daimler AG (Mercedes), BMW und IBM gelten als Paradepferde. Der Leistungsantrieb der dortigen Menschen resultiert aus der Freude der Nachkommen alter Handwerksgeschlechter an solider und perfekter Arbeit.

München und Stuttgart regieren jedoch kein spannungsloses Industrieidyll. Als seien die Stammesgegensätze des Mittelalters niemals erloschen, wiederholt sich der Antagonismus zwischen Nord und Süd im kleinen Maßstab innerhalb Bayerns und Schwabens; im Frankenlande hat man Vorbehalte gegen München, das alemannische Baden bewahrt sich seine köstliche Animosität gegen Stuttgart. Die Süddeutschen trennt manches, es verbindet sie aber eine barocke Lebenslust. Sie lieben ihre festlichen Landschaften, die Zwiebeltürme ihrer Kirchen, die Prozessionen auf dem Wege dahin und die goldenen Wahrzeichen vor den Wirtshäusern ihrer kleinen Städte.

Die Grenzen Deutschlands zu Europa stehen weit offen, der Wanderung zwischen den Nachbarn sind kaum noch Schranken gesetzt. In früheren Zeiten waren alle Städte, von Mauern umgeben. Als der Kaiser damals die ungehorsame Stadt Weinsberg am Neckar eingeschlossen hatte, versprach der hohe Herr den Frauen der Stadt freien Abzug. Sie fragten an, wovon sie denn leben sollten, nachdem sie ihre Stadt und Habe verlassen hatten? Der Kaiser gestand den Frauen also zu, mitzunehmen, was sie auf dem Rücken tragen konnten. Zur festgesetzten Stunde erschienen in langem Zuge die Frauen der Stadt Weinsberg: Eine jede trug auf ihrem Rücken ihren Mann!

Wir haben bisher über die Deutschen gesprochen, als seien es durchweg Männer – emsig damit beschäftigt, Heiden zu missionieren, Deiche zu errichten, Kirchen zu bauen, Kohle zu schürfen, Fußball zu spielen und Computer zu programmieren. Der Frauen wurde nicht gedacht. Das ist eine Unaufmerksamkeit, die wir mit manchen anderen Völkern teilen.

Ungeachtet dessen bringen die Frauen in Deutschland, wenn man an sie denkt, immer die Weiber von Weinsberg in Erinnerung. Zweimal haben sie während der großen Kriege des vergangenen Jahrhunderts erst das Haus in Ordnung gehalten, die Kinder aufgezogen und dann das, was von ihren Männern übrig geblieben war, in eine neue Existenz getragen. Die Frauen haben die Trümmergrundstücke aufgeräumt, ihren Platz an den Universitäten erobert und ihre Arbeitskraft in die Unternehmen eingebracht bis in die Chefetagen hinein. Auch in der Politik haben sich Frauen behauptet und leiten souverän die Ministerien bis hin zum Bundeskanzleramt. Sie geben Deutschland ein neues Antlitz. Wie es genau aussehen wird, wagt keiner vorauszusagen, der die Frauen kennt. Doch sind manche von einer märchenhaften Entwicklung überzeugt.

Peter von Zahn

Germany – a fairytale

It is not easy to feel on safe ground when you are talking about Germany. We start our journey in the north, where Germany emerges from the waves, although this coastline is relatively recent, for the North Sea extended far inland even within historical times. Where the flat green plain of Schleswig-Holstein now looks out to sea over a line of foam, late medieval maps show a confusion of islands, which after the building of sturdy dikes, were gradually integrated into the mainland. Not surprisingly, the legends of the North Sea coast tell of water and storms and the constant struggle of the people to preserve their plots and their pastures.

A tough, rough-edged breed developed in this region. Their houses stand singly on low humps, and a storm at high tide will send surging waves to batter at the door and beat at the kitchen window. On the string of islands in front of the coast, people's lives would scarcely have changed over the years if there had not been a new invasion in the past century. The summer storm now blowing in from the mainland consists of an ever-increasing flood of tourists spilling over on to the islands of the North Sea coast, a bevy of landlubbers, in a variety of hues from pasty to bronze, frolicking in the surf and stretching out on the sand of the dunes. Since German reunification, tourists have also rediscovered the long, sandy Baltic shore, less windswept than the North Sea coast, where the landscape is less harsh, the waves less savage. On a map, the chain of islands and peninsulas marking Germany's Baltic coastline looks like a handy row of stepping-stones to Denmark and Scandinavia.

In Germany, the unexpected is the rule. There is a saying attributed to a French Ambassador of long service, Jean François-Poncet: "Just when you think a German is going to get Teutonic, he starts behaving like a Roman; if you then try to confound him with Latin logic, he'll slip rapidly through the net with a deal of Slavic charm." A hodgepodge of genes has indeed boiled and bubbled in the cauldron of Germany's past, and German characteristics consist of a whole conglomeration of European quirks. Their civilisation has its roots in the Roman Empire, which also brought wine to Germanic tribes, while later, Irish monks imported Christianity. The new religion gradually spread northwards and eastwards to Slav tribes on and beyond the Elbe.

The Romans with their efficient military machine never reached the peoples of the North German Plain, and the present population of the north, descendants of those wild Germanic tribes, pride themselves on their independence. They used to call themselves Angles, or Saxons, and, even before the Vikings of Scandinavia, they sailed west to found settlements throughout England. From there, known as Anglo-Saxons, they launched themselves into the world to change the course of history in ways undreamt of by those who never crossed the Channel.

It was Charlemagne who eventually imposed Christianity on the north, after which the Saxons advanced eastwards to impose the Lord's Prayer on the Slavs between the Baltic and the Elbe. Their most illustrious duke, Henry, was nicknamed "the Lion". Under the rule of Henry and his wife, an English princess, the formidable process of integrating Germanic and Slavic tribes first began, a development that has continued into our own century.

The Slavs were also invaded by the peoples from the Rhine and Main who established towns among the Slav villages between the rivers Elbe and Weichsel. These towns were founded according to German customs, while their schools were based on a Latin tradition and their administrative system on Roman law. Centuries later, in just that area where Henry the Lion established his new settlements, there stood for nearly forty years a forbidding stretch of fencing with trenches, watchtowers and barbed wire – the outposts of the Russian empire. The bloodless revolution of 1989 changed all that. At last the residents of the Federal Republic were able to visit the brick cathedrals of Rostock and Greifswald, admire the glorious Baroque of the Zwinger in Dresden, climb the Bastei and peer into the craggy ravines of Saxon Switzerland. In turn, the people of Mecklenburg, Saxony, Thuringia, Saxony-Anhalt and Brandenburg discovered the other half of Germany and were able to enjoy the liberties denied to them for so long. Nowadays Germans take it for granted that they can make for Rostock, Sassnitz or Lübeck and take a relaxing trip on a vehicle or rail ferry bound for Scandinavia.

The ancient port of Lübeck, in North Germany, was for three centuries the centre of the Hanseatic League, an association that could well be described as a successful forerunner of the European Union. The League, which protected the commercial interests of mercantile towns, extended throughout northern Europe, from Flanders to Novgorod in Russia and Bergen in Norway. Under the aegis of the Hanseatic League, town councillors won power and influence, trading houses made their fortunes and citizens were imbued with a sense of that brick-fronted pride that finds its most glowing expression in the Holstentor gateway, the churches and the old Town Hall of Lübeck. In the other two great harbours on the North Sea, Hamburg and Bremen, there is a sense that the old Han-seatic spirit hovers over them even today.

"Der Wald steht schwarz und schweiget und aus den Wiesen steiget

der weiße Nebel wunderbar.'

(The forest stands black and silent, and from the meadows rises a wondrous white mist.)

The poet Matthias Claudius's verses exactly express that slight shiver that runs down German spines at the mention of forests. European neighbours to the south and the west have often remarked on that puzzling relationship that Germans have to nature, or more exactly, to their woodlands. The myths of German forests pale, however, before present realities. The forest is no longer the primeval jungle which the wary Roman legions entered with trepidation; there are no longer any thickets filled with the billowing smoke of medieval charcoal kilns. Now it is official forestry land, with numbers, colour-coded labels and trees standing to attention like a company of Prussian soldiery.

Wood is potential coal. Beneath the region north of the river Ruhr lie extensive forests that over millions of years were compressed under the weight of a thousand metres of rock to form coal seams. These massive stores of black energy constituted the primary foundation stones of German heavy industry. The second prerequisite was a stream of young men from the Eastern provinces, industrious, undemanding and willing to provide cheap labour. The third requirement was the technical ability of the engineers and miners who excavated the coal from its gloomy recesses and used it for smelting iron and steel. And finally there was the proximity of other European industrial areas, where the cumbersome loads of iron, coke and steel machinery that floated to their destination on barges over the waterways of the Ruhr and Rhine were always in high demand.

Today the Ruhr region has to master the transition from heavy industry to high technology. The inhabitants of the Ruhr are mostly descended from immigrants who do not care to emigrate. The homeland of those who once lived among mines and blast furnaces was never as picturesque as that of the Moselle valley or the Alps, but the smokestacks and pitheads are gradually giving way to greenery, and these days the Ruhr valley south of Essen looks very much like health-resort countryside.

According to the logics of economy, the Ruhrgebiet will continue its metamorphosis. For a century and a half it was the power house of Germany, indeed of Europe. Now German industry depends more and more on the export of precision instruments. Coal and ore are no longer measures of a country's wealth, which is why new universities and technical institutions are rapidly altering the skyline of the Ruhr. Everywhere between Düsseldorf and Dortmund, universities and technical institutes are changing the local townscapes. The most productive raw material and its best processing plant are indeed to be found in the human brain and the human mind.

It was long a custom among the Germans to regard the Limes as a dividing line of their civilisation. The Limes was the great fortification that the Roman emperors built to protect the more civilised Germanic tribes in the south and west from the uncouth aggression of those in the north and east. According to this hypothesis, the culture of the tribes who lived within the Limes had a flying start while the rest have always trailed behind. Critics would maintain that regions outside the old Limes might manage to generate hordes of Lutherans, iconoclasts, Prussian sergeant-majors, would-be Bismarcks and Social Democrats, but never your true good-natured "gemütlich" German. On the other hand, the "northern lights" of Germany have always maintained that south of the Main, that is, within the Limes, there lives a ham-fisted bunch of untrustworthy yokels who prefer to give hard work a wide berth.

This is hardly a convincing argument when it comes to accounting for cultural differences. It fails to explain how the ostensibly rational north and east produced the music of Schütz, Bach, Handel and Wagner, while in the backwoods of the south architecture reached a peak in the building of magnificent cathedrals, burghers' houses and palaces. Yet a grain of truth lies in these myths, for there really is a change in atmosphere along the Rhine and Main. If the Limes cannot be held responsible for Protestantism, it nevertheless separated – probably by coincidence – the sober Protestants from the mainly Roman Catholic lands.

In the end, however, north-south differences must be attributed to another cause that we can trace back to the era of a Germany that was once part of the Holy Roman Empire. The Empire spread far beyond the bounds of the present-day Republic in its thousand years of existence, and eventually came to consist of a considerable slice of Europe. Its real power lay in bishoprics, in Free Cities of the Empire like Frankfurt, birthplace of Goethe, and in dukedoms such as Weimar in Thuringia, long Goethe's residence. Here the Empire showed its more human side in a sacrosanct and closely-woven net of feudal rights and duties. The Emperor and his law courts had the task of seeing that no-one was deprived of his rights. Over the centuries this resulted in a master and servant relationship based mainly on trust and care. In comparison, in the north-eastern territories there was a rational, progressive system consisting of a few large administrative units. Its subjects were not encouraged to harp on their rights; they were expected to obey. The peasant on the Main could turn to the Abbot in the next valley as an intermediary between himself and the Emperor, who was relatively accessible; a peasant in the north was confronted with the local landowner, then the administrative director, then the might of the King of Prussia, and even then the Emperor was well out of reach.

The Rhine used to be the main artery of the old Empire. Winding between the chain of minsters and cathedrals that lie along the river – Xanten, Cologne, Bonn, Mainz, Speyer and Worms – there is nowadays another chain of power stations, factory buildings and high-rise office blocks that provide employment for a considerable percentage of the German population.

It is instructive to look at the attitude of a country to its capital city. The French lose no time in elevating theirs to the capital of the world, although they can't stand the sight of a Parisian unless they happen to be one themselves. The Americans have a low opinion of Washington D.C. and an even lower one of its politicians. In all their history, the Germans have only once had one real capital, for seventy-five years, and that was Berlin, but no-one liked it much. Then, as a result of the Second World War, Berlin was divided by its ill-famed Wall, and for thirty years West Berlin became a highly vulnerable enclave in Communist Eastern Germany. On November 9th, 1989, the Berlin Wall was breached and the world rejoiced. Now Berlin is again the capital and seat of the government of Germany. Since reunification and a new building boom, the face of the city has drastically changed, and Berlin is reassuming its former role as a European capital and as Germany's chief economic and cultural centre – with a Turkish population as large as that of any city in Turkey.

Bonn, the post-war capital of Western Germany, has had to adjust to these new developments, even though it started life as the headquarters of the second Roman legion (Minerva) and so has a start of a good twelve hundred years over Berlin. Originally only a provisional capital, Bonn has an unassuming air, but simply the presence of Beethoven's birthplace is sufficient to arouse feelings of reverence in visitors. Bonn's wide imposing streets date from the time when it was ruled by the Archbishop of Cologne, who was also an Elector and chief henchman of the Emperor. Together with Cologne and Düsseldorf, its large and lively neighbours, Bonn is now one of a trio of Rhenish cities that make up one of Germany's most dynamic regions.

Munich and Stuttgart are good examples of expanding commercial and industrial centres in the south of Germany. Both were formerly the seats of influential princes of the Empire. Munich is the capital of Bavaria and almost as old. Stuttgart took longer to make itself into a legend, maybe because the Lords of the Swabian House of Staufen were always hurrying off to Italy or the Holy Land on the Emperor's business. But Stuttgart has caught up.

Deep-seated antipathies between north and south, east and west belong to Germany as does the wicked fairy to the fairy tale. The technical and military superiority of nineteenth-century Prussians led them to regard the states south of the Main with thinly-disguised contempt. The Berliners, on the other hand, were regarded by the Bavarians as loudmou-thed and by the Swabians as boorish. But while everyone north of the Main was sniggering that Bavarian politics were little better than a pub brawl, or smirking about the dull my-home-is-my-castle Swabians, the technology of the future was already taking root in South Germany. Employers who turned up there were not dismissed as exploiters from the start, and on arrival they found not only well-informed, far-sighted local authorities but also an ambitious education system. The results are evident in the prevalence of entirely new industrial structures, for the countryside around Stuttgart and Munich has sprouted high-powered centres of industry, with Mercedes, BMW and IBM as their prize exhibits. The drive behind all this stems from is the pride of a job well done, a pride handed down from gene-rations of solid perfectionist workmen.

This is not to say that Munich and Stuttgart administer some serene industrial idyll. The north-south antagonism repeats itself on a smaller scale between Swabia and Bavaria, just as if medi-aeval tribal differences had never been reconciled. The Franconians have serious reservations about Munich, and in Alemannic Baden they have an absurd aversion to Stuttgart. Whatever divi-des the South Germans, they are still united by a common baroque zest for life. They love their splendid landscapes, their processions wending their way to onion-towered churches and their little towns with their golden inn signs.

Germany's European borders are now wide open, and there are virtually no barriers to travel-ling back and forth. Yet once upon a time, there used to be a wall around all cities. One day, the mighty Emperor laid siege to the rebellious town of Weinsberg on the Neckar and tried to force a capitulation by promising to release the women of the town. What, came the reply, were they to live on if they abandoned house and home? A fair question. The Emperor granted them per-mission to take whatever they could carry on their backs. When the hour struck, the town gates opened to reveal a long procession of the women of Weinsberg. And all of them were carrying their husbands.

We have been speaking of the Germans up to now as if they were exclusively male, bustling about to convert the heathen, dig the dykes, build the churches, mine the coal, win the football matches and write the computer programmes. The women have been ignored. We are not the only people who are so inattentive. Nonetheless, German women always remind one of the women of Weinsberg. Twice during the World Wars of the last century, they have kept house, raised their family and supported what was left of their menfolk in a new life. It was the women who cleared the mountains of rubble from the bombsites, and it is women who have now won them-selves places at the highest level in universities, in management and in politics, from ministries right up to the Federal Chancellery. They are giving Germany a new face, and while nobody who knows women would dare predict the future, many suspect that we have a few fairytale developments ahead of us.

Peter von Zahn

L'Allemagne - un conte de fées

Il est difficile de garder les deux pieds sur la terre ferme quand on parle de l'Allemagne. Dans le Nord, le pays est sorti de la mer.

Il n'y a pas encore très longtemps, la mer du Nord s'avançait loin dans le pays. Dans la région de Schleswig-Holstein, la côte verdoyante, aujourd'hui séparée de la mer par un déferlement de houle, était encore un enchevêtrement d'îles à la fin du Moyen Âge. Des endiguements le changèrent progressivement en une bande de terreferme. Les légendes de la région évoquent des histoires de houle et de tempêtes et parlent de la lutte incessante que l'homme devait livrer pour conserver son lopin de terre.

La souche d'hommes qui s'installa en ces lieux était rude et coriace. Les maisons se dressent, solitaires, sur de minces élévations de terrain.. Quand la tempête fait rage, la mer vient cogner aux portes et aux fenêtres des maisons. Une chaîne d'îles s'étend au large du continent. Leurs habitants y vivaient presque encore comme autrefois si une foule de vacanciers ne venait envahir les îles de la mer du Nord depuis un siècle. Ce flot humain, en provenance de la terre ferme, s'ébat dans les vagues et se fait bronzer sur le sable des dunes. Depuis l'unification de l'Allemagne, les touristes ont aussi redécouvert leslongs rivages sableux de la mer Baltique. Ici, la nature est plus souriante, les flots sont moins impétueux. Les îles et presqu'îles de la côte ressemblent aux pierres d'un gué par lequel on pourrait facilement atteindre le Danemark ou la Suède.

L'inattendu forme la règle en Allemagne. Jean François-Poncet, ambassadeur longtemps en poste dans le pays, aurait déclaré: « Quand on attend d'un Allemand qu'il se conduise à la teutone, il réagit comme un Romain. Mais si l'on essaie d'appliquer la logique latine, il s'échappe soudain dans le charme slave. »

Les conflits des siècles derniers ont fait un véritable brassage des gènes des Allemands.Le peuple allemand constitue un salmigondis de caractéristiques européennes. Sa civilisation provient de l'Empire romain, lequel a apporté le vin, de même que les moines irlandais introduisaient le christianisme, la nouvelle religion qui serait propagée vers le Nord et l'Est jusque dans les tribus slaves de l'Elbe et de l'Oder.

Malgré leur administration militaire des plus efficaces, les Romains ne parvinrent toutefois jamais aux fins fonds du Nord de l'Allemagne. Les descendants des Germains renégats qui habitent ces régions, s'enorgueillissent jusqu'à aujourd'hui de leur indépendance.

Leurs ancêtres se nommaient Angles ou Saxons. Après que ces prédécesseurs des Vikings scandinaves eurent colonisé un bon morceau de l'Angleterre, ils entrèrent comme Anglo-Saxons dans la grande chronique du monde et donnèrent à l'histoire un tracé digne de stupéfier les Saxons restés à la maison.

Après la conversion forcée effectuée par Charlemagne, les Saxons prirent la direction céleste de l'Est et se mirent à enseigner le Notre-Père aux tribus slaves entre la Mer Baltique et l'Elbe. Leur duc le plus remarquable reçut le sobriquet de « Lion ». Son épouse épouse était une princesse anglaise. C'est sous le règne de ce couple que débuta le grand mélange des Germains et des Slaves qui se poursuit jusqu'à notre siècle.

Des immigrants arrivés du Rhin et du Main s'installèrent entre les villages slaves disséminés de l'Elbe à la Weichsel. Ils fondèrent des villes d'après le droit allemand, des écoles dans des monastères d'après le droit latin et des services administratifs d'après le droit romain.

Dans la région où le duc Henri le Lion avait fondé des villes, on vit entre 1945 et 1989 des fossés, des miradors et des fils barbelés – les avant-postes du bloc soviétique. Ils ont disparu après la révolution pacifique de 1989.Les citoyens de la République fédérale visitèrent de nouveau les cathédrales en briques de Rostock et de Greifswald ; ils redécouvrirent le magnifique édifice baroque du Zwinger à Dresde, et gravirent de nouveau la « Bastei » d'où le regard plonge sur les crevasses déchiquetées de l'Elbsandsteingebirge.De leur côté, les habitants du Mecklembourg et de la Saxe, de la Thuringe, de la Saxe-Anhalt et du Brandebourg sont partis à l'exploration de l'Allemagne de l'Ouest qui leur était restée longtemps fermée.

La liberté de voyager signifie aussi qu'on peut tout simplement embarquer à Lübeck, Rostock ou Sassnitz sur des ferry-boatsqui emmènent en Scandinavie. Durant trois siècles, Lübeck fut le centre de la Hanse, une association que l'on pourrait décrire comme le précurseur de l'Union européenne actuelle. Cette alliance qui offrait la sécurité aux villes de commerce, s'étendait à travers toute l'Europe du Nord, de la Flandre à Novgorod et jusqu'à Bergen en Norvège.

Le commerce apporta aux politiciens locaux l'influence, aux commerçants, la richesse et aux citoyens, la fierté qui se dégage encore des façades en briques de la porte «Holstentor», des églises et du vieil hôtel de ville de LübeckL'esprit de la Hanse souffle toujours sur Hambourg et Brême, les deux grands ports de la mer du Nord.

« La forêt se dresse sombre et se tait, des prés s'élève un merveilleux brouillard blanc. »

C'est ainsi que Matthias Claudius décrit le tressaillement léger que certains paysages allemands provoquent chez les citoyens de ce pays – mais chez d'autres également. En effet, les voisins européens à l'Ouest et au Sud se sont souvent perdus en considérations sur la relation mystérieuse des Allemands avec la nature, plus précisément avec leursforêts.

Toutefois une image fort différente se présente si l'on compare le mythe de la forêt à la réalité. Il y a longtemps que la forêt n'est plus la jungle où les légions romaines ne pénétraient qu'en hésitant, ni le taillis que les charbonniers d'antan remplissaient de fumée. Les forêts sont aujourd'hui des emplacements numérotés avec des panneaux d'indication qui se dressent comme des compagnies de soldats prussiens.

La forêt constitue un charbon potentiel. Il y a des millions d'années, de vastes étendues boisées s'étendaient au nord de la Ruhr. Des couches de roches épaisses de milliers de mètres les comprimèrent en veines de charbon qui allaient procurer un stock énorme d'énergie noire. La première base de l'industrie lourde allemande était établie … Une autre base fut fournie par l'afflux d'hommes jeunes et musclés venus des provinces de l'Est. C'était une main-d'œuvre bon marché, pleine de bonne volonté et peu exigeante. Les capacités techniques des ingénieurs et mineurs formèrent la troisième base. Les hommes arrachèrent le charbon des entrailles de la terre et le transformèrent en fer et en acier. Finalement, la proximité des autres régions industrielles européennes joua un rôle important ; les lourds convois de fer, coke et machines d'acier n'avaient qu'à emprunter le Rhin ou la Ruhr pour arriver à destination.

Aujourd'hui, le bassin de la Ruhr traverse une phase de mutation : la technologie de pointe remplace peu à peu l'industrie lourde. Presque tous les habitants de la Ruhr descendent d'immigrés, et n'ont pas du tout l'intention de devenir émigrants et repartir vers d'autres cieux. Leur pays de mines et hauts-fourneaux n'était bien sûr pas aussi beau que la vallée de la Moselle ou la chaîne des Alpes. Mais les mines disparaissent peu à peu ; des oasis de verdure ont aujourd'hui remplacé la grisaille d'autrefois. Au sud d'Essen, le bassin de la Ruhr a déjà l'allure d'une région verdoyante de vacances.

Suivant la logique économique, la région de la Ruhr continuera de se transformer. Durant 150 ans, elle fut le centre de l'énergie de l'Allemagne, sinon de l'Europe. Or, l'économie allemande repose de plus en plus sur l'exportation de machines et instruments élaborés. Les gens des régions industrielles savent désormais que le minerai n'est plus une des richesses principales d'un peuple. Partout entre Düsseldorf et Dortmund, universités et hautes écoles techniques ont modifié la physionomie des villes. Le fait est qu'aujourd'hui, le cerveau humain est à la fois la matière première la plus productive et sa propre usine de transformation.

Durant très longtemps, les Allemands ont considéré le limes comme une démarcation dans leur civilisation. Avec le limes, une ligne de fortification gigantesque, les empereurs romains protégeaient la Germanie dite cultivée à savoir l'Allemagne du Sud et de l'Ouest, des attaques des Germains « sauvages » du Nord et de l'Est. Selon les théories, les tribus à l'intérieur du limes connurent un développement culturel plus rapide que celui des tribus qui vivaient à l'extérieur de la zone romaine. Les critiques ont longtemps affirmé que les gens qui habitaient en dehors du limes ne pouvaient que devenir luthériens, sergents prussiens, « Bismarckiens », ou encore socio-démocrates, mais jamais de vrais bons Allemands. En contrepartie, pour les Allemands du Nord, les hommes au sud du Main (donc du limes) étaient des gaillards plutôt indignes de confiance, paresseux, incultes et sans aucuns dons techniques.

Ces concepts ne valent pas grand-chose pour éclaircir les différences culturelles du pays. Ils n'expliquent pas pourquoi la musique de Schütz, de Bach, d'Händel ou de Wagner est née dans la sobre Allemagne du Nord ou de l'Est tandis que le Sud, soi-disant en retard sur la technique, a construit les plus admirables cathédrales, palais et demeures de patriciens. Il est pourtant vrai que la façon de vivre change dès que l'on atteint le Rhin et la vallée du Main. Le limes n'élucide pas la création du protestantisme, mais sépare sans doute par hasard, les régions protestantes plus austères de celles où domine le catholicisme.

En fin de compte, les différences découlent d'une autre source : elles sont nées avec le Saint Empire romain germanique. Durant les mille années de son existence, il a englobé non seulement une grande partie de l'Allemagne actuelle, mais aussi un bon morceau de l'Europe. Son centre de gravité était partagé entre les évêchés, les villes libres d'Empire et les nombreux modestes principautés et comtés qui constituaient l'Allemagne. En faisaient partie Francfort, ville impériale libre et lieu de naissance de Goethe ainsi que la résidence princière de Weimar en Thuringe où le grand poète vécut. Un lacis de vieux droits sacrés et de devoirs liait les sujets à leurs régnants. L'empereur et ses tribunaux avaient la tâche de veiller à ce que personne ne se sente lésé. La relation qui s'établit au cours des siècles entre le haut et le bas de l'échelle sociale était ainsi surtout basée sur la confiance et l'obligeance mutuelle.

Par contre, les territoires du Nord-Est étaient gouvernés par un petit nombre d'administrations rationnelles et progressives. Les régnants attendaient d'abord des sujets qu'ils obéissent. Entre le paysan du Main et son empereur, il n'y avait que l'abbé de l'abbaye impériale située dans la vallée voisine. Mais au Nord, le propriétaire des terres, le préfet et surtout le roi de Prusse séparaient le paysan de l'empereur lointain. Le cœur du vieil Empire se trouvait sur le Rhin. La chaîne des centrales productrices d'énergie, des usines et des grands édifices d'administration qui font vivre une grande partie du peuple allemand s'étend aujourd'hui entre les anciennes basiliques et cathédrales de Xanten, Cologne, Bonn, Mayence, Spire et Worms.

La relation des peuples avec leurs capitales respectives est très révélatrice. Pour les Français, Paris est la capitale du monde, même s'ils n'aiment guère les Parisiens, à moins d'en être un bien sûr ! Les Américains n'apprécient pas beaucoup Washington D.C. et encore moins le gouvernement qui y réside. Au cours de toute leur histoire, les Allemands n'ont eu une capitale, Berlin, que durant 75 ans et ils ne l'ont pas véritablement aimée.

Durant trente années, le Mur a séparé Berlin en deux. La partie occidentale de la ville, sorte d'île au milieu du bloc est était très vulnérable au chantage des voisins communistes. Le 9 novembre 1989, le monde entier acclamait la chute du Mur. Berlin est de nouveau capitale et siège du gouvernement de l'Allemagne. Depuis la réunification, une activité de construction effrénée a considérablement modifié la physionomie de la ville. Berlin se développe de nouveau en tant que centre de l'économie et de la culture allemandes, au rayonnement européen, qui plus est multiculturel puisque la capitale abrite entre autres une population turque aussi importante que celle d'une grande ville de Turquie.

En revanche, Bonn, qui fut le quartier général de la deuxième légion romaine Minerva a 1200 ans d'histoire de plus que Berlin. Les magnifiques avenues de l'ancienne « capitale provisoire » datent de l'époque à laquelle le souverain régnant était un archevêque prince électeur et premier paladin de l'Empire. Déjà, la maison natale de Beethoven-suffit pour éveiller un brin de nostalgie chez les visiteurs. Avec ses grandes voisines Cologne et Düsseldorf, la capitale administrative du Land Rhénanie-du-Nord-Westphalie, la ville de Bonn reste un phare d'une des régions les plus dynamiques d'Allemagne.

Munich et Stuttgart constituent d'excellents exemples du développement de l'économie et de l'industrie dans les Länder du Sud. Les deux villes sont les anciennes résidences de deux princes électeurs importants. Munich, siège du gouvernement bavarois, a presque le même âge que l'État de Bavière. Il a fallu plus de temps à Stuttgart pour asseoir sa renommée, sans doute parce que les princes de l'illustre lignée des Hohenstaufer préféraient parcourir les routes d'Italie ou du Saint Empire au nom de l'empereur à rester dans leur fief. Stuttgart a pourtant rattrapé le temps perdu.

La cordiale antipathie qui règne entre le Sud et le Nord, l'Est et l'Ouest, fait autant partie de l'Allemagne que la méchante fée dans les contes d'enfants. Les Prussiens du XIX⁰ siècle, forts de leur supériorité militaire et technique, ne cachaient guère le mépris qu'ils éprouvaient envers les habitants des régions au sud du limes. En revanche, le Berlinois avait une réputation de vantard en Bavière et d'indiscret dans la province souabe. Mais tandis qu'au nord du Main, on s'amusait à comparer la politique bavaroise à des querelles de bistro et les Souabes à de petits entrepreneurs de maçonnerie, la technologie d'avant-garde s'installait principalement dans le Sud de l'Allemagne. Dans ces parts, les industriels ne furent jamais considérés comme des exploiteurs, mais furent accueillis à bras ouverts par des administrations cultivées et prévoyantes, avides de développer le niveau d'éducation dans leur région.

Les résultats s'inscrivent dans les nouvelles structures industrielles de ces régions. Les environs ruraux de Stuttgart et Munich se sont transformés en centres industriels importants abritant notamment de grands groupes tels Daimler AG (Mercedes), BMW et IBM. Le moteur de ce succès est sans aucun doute actionné par le plaisir que les descendants des artisans de jadis prennent à accomplir un solide labeur et un travail bien fait.

Néanmoins, Munich et Stuttgart ne gouvernent pas une idylle industrielle sereine. Comme si les tendances grégaires du Moyen Âge n'avaient jamais disparu, la rivalité ancestrale qui oppose le Nord et le Sud du pays, se retrouve sous une forme atténuée entre les Bavarois et les Souabes ; en Franconie, on a des préjugés contre Munich ; la Bade alemanique nourrit une franche animosité envers Stuttgart.

Or, si des divergences séparent les Allemands du Sud, ils partagent toutefois en commun un amour baroque de la vie. Ils adorent leurs paysage solennels, les clochers bulbeux de leurs églises, les processions religieuses et les enseignes dorées qui ornent les auberges de leurs petites villes.

Les frontières de l'Allemagne sont grandes ouvertes aux Européens ; il n'existe pratiquement plus de barrières entre les pays voisins. Jadis, presque toutes les localités allemandes étaient entourées d'enceintes fortifiées. Lorsque l'Empereur Conrad III qui avait cerné la cité renégate de Weinsberg sur le Neckar, promit leur liberté aux femmes de la ville, elles lui demandèrent de quoi elles vivraient après avoir abandonné maisons et biens. L'empereur permit alors à chaque femme d'emporter tout ce dont elle pourrait se charger. Les portes de la ville s'ouvrirent à l'heure indiquée pour laisser passer une longue procession de femmes, chacune portant son mari sur son dos !

Jusqu'à présent, il n'a été question des Allemands qu'au mode masculin, comme s'il n'y avait eu que des hommes affairés à missionner les païens, à construire des digues ou des églises, à extraire du charbon, à jouer au football ou programmer des ordinateurs. Tout au long de ce récit, aucun mot n'a encore été dit sur les femmes. C'est une inattention que nous partageons malheureusement avec bien d'autres peuples.

Et pourtant, que les femmes allemandes d'aujourd'hui rappellent les vaillantes épouses de Weinsberg! Durant les deux grandes guerres du siècle dernier, ce sont elles qui ont maintenu la maison en ordre, élevé les enfants et, si elles ne les avaient pas perdus à la guerre, aidé leurs maris souvent bien mal en point à se bâtir une nouvelle existence. Les femmes ont déblayé les ruines des villes, conquis leur place sur les bancs des universités et apporté leurs capacités de travail dans les entreprises, jusqu'au niveau des cadres supérieurs. Les femmes se sont également imposées dans le monde politique ; elles dirigent des ministères, et l'une d'elles le gouvernement actuel. Elles donnent à l'Allemagne une physionomie nouvelle. Personne ne peut prédire exactement l'avenir, mais connaissant les femmes, on peut s'attendre à une évolution prodigieuse.

Nürnberg, „Schöner Brunnen", nach einem Gemälde von P. Ritter (Stich um 1890)

So vielseitig wie in seinen Landschaften ist Deutschland auch in seinen Grenzen. Die Bundesrepublik reicht im Süden an den Alpenrand heran, im Norden an die Küsten zweier Meere, im Westen gibt es alte Nachbarschaften und im Osten endet es an der Oder. Geschlossen und gesichert nach der einen Seite, war Deutschland auf der anderen von jeher offen zum Wasser. Über den Wasserweg kam das Christentum mit den irischen Bekehrern. Übers Wasser kamen später auch die Wikinger, heidnische Herausforderer für das Christentum Europas, und segelten den Rhein hinauf bis ins heilige Köln. Zur Kaiserzeit lag Deutschlands Zukunft auf dem Wasser. Heute ist vor allem Deutschlands Freizeit dort zu finden, alljährlich im Sommer zur Reisezeit – und im Frühling, wenn die Spitzensportler sich zur Kieler Woche treffen.

Germany's wide variety of scenery is reflected in the changing landscape of its borders. The south is bounded by the massive block of the Alps, whereas the flat coast of the north is washed by the North Sea and the Baltic Sea. Time-honoured neighbours range along an inconspicuous western border, while to the east the border goes to the Oder. The Alps have always been a protective wall; the coast was open to every kind of invasion. The boats of St Boniface and other Irish missionaries arrived in the eighth century, but their work of converting the heathen was soon challenged when the formidable longships of the Vikings thrust up the Rhine to Cologne. Later the northern harbours became the lifeline of Germany's trade under the Kaisers. Now holiday-makers invade the coastline in summer.

Les frontières de l'Allemagne sont aussi diversifiées que ses paysages. Le pays s'arrête à la chaîne des Alpes dans le Sud. Au Nord, il est bordé par les côtes de deux mers. Il a de vieux voisins à l'Ouest et le fleuve Oder est sa frontière à l'Est. Si l'Allemagne est bien fermée et protégée d'un côté, elle a été de tous temps accessible par la voie des eaux dans l'Est et dans le Nord. Les Irlandais, apporteurs du christianisme, ont traversé l'eau. Ils ont été suivis des Vikings païens qui remontèrent le Rhin jusqu'à la Cologne Sainte. A l'époque de l'empire, l'avenir de l'Allemagne reposait sur l'eau. Aujourd'hui, ses habitants y passent surtout leurs moments de loisirs. Les bords des fleuves et des mers sont envahis à la belle saison par les vacanciers. Et chaque année au printemps, les grands sportifs se retrouvent aux régates de « la semaine de Kiel ».

Kiel ist Schleswig-Holsteins Landeshauptstadt, erkennbar durch die Ministerien, die zum großen Teil ihre Fronten zum Hafen hin ausgerichtet haben. Städtischer Mittelpunkt ist der „Kleine Kiel" mit dem Rathaus, dessen schlanker, 106 Meter hoher Turm ein wichtiges stadtbildprägendes Element darstellt. Wer sich den Grundriss der Landeshauptstadt anschaut, erkennt an seinem Regelmaß die mittelalterliche Gründung (zwischen 1233 und 1242 durch den Grafen Adolf IV. von Holstein). 1242 erhielt Kiel lübisches Stadtrecht.

Kiel is the State Capital of Schleswig-Holstein. The „Kleine Kiel" or „Little Kiel" forms the centre of the city. Here we find the City Hall with its tall slim 102 metre high tower. It was designed by H. Billing and built between 1907 and 1911. The centre facade displays art nouveau sandstone decorations. Kiel was founded between 1233 and 1242 by Earl Adolf IV of Holstein. In 1490 the city was ceded to the House of Gottorf, and was pledged to Lübeck between 1469 and 1496.

Les ministères situés pour la plupart sur le port, montrent que Kiel est la capitale du Schleswig-Holstein. Son cœur est le quartier dit Kleiner Kiel où se dresse la tour haute de 106 mètres de l'hôtel de ville, un des symboles de la cité. Kiel a été gravement endommagée durant la seconde guerre mondiale, notamment sa vieille ville sur la rive ouest. Kiel fut fondée entre 1233 et 1242 par le comte Adolf IV de Holstein et reçut ses droits communaux en 1242. En 1490, elle revint à la maison Holstein-Gottorf après la division des duchés Schleswig et Holstein.

Die Fehmarnsundbrücke ist eine lebenswichtige Landverbindung für Fehmarn, sie ermöglicht es, die Insel mit den benötigten Gütern zu versorgen, und die Gäste haben die Möglichkeit, die Insel bequem zu erreichen. Seit 1963 trotzt die Brücke nun Wind und Wetter, lässt unzählige Fahrzeuge passieren und ist immer wieder beliebtes Motiv für Maler und Fotografen. Die Brücke ist die Fortsetzung der so genannten „Vogelfluglinie", welche im Jahre 2003 seit 40 Jahren bestand. Trotzdem ist Fehmarn eine Insel geblieben, was die vielen Touristen Jahr für Jahr bestätigen.

The bridge over Fehmarn Sound is a vitally important mainland link for the island of Fehmarn. All necessary goods can be supplied by road and there is easy access to the island for visitors. Since 1963 the bridge, always a favourite subject for artists and photographers, has triumphed over wind and weather and has enabled countless vehicles to pass from one side to another. It is actually a continuation of the so-called "Vogelfluglinie" route, which in 2003 celebrated its 40th birthday. Nevertheless, Fehmarn has retained its island character, as the many visitors confirm year after year.

Le pont Fehmarnsund est une jonction vitale entre Ferhmann et le continent car il permet le transport routier de toutes les marchandises et offre un accès facile aux touristes. Motif favori des peintres et photographes, le pont brave les tempêtes depuis 1963 et a déjà été franchi par d'innombrables véhicules. Il est la continuation de la route appelée «Vogelflug» (vol d'oiseau) qui a fêté 40 ans d'existence en 2003. Bien que rattachée au continent, Fehrarm a gardé son caractère insulaire, ce que confirment les nombreux touristes qui y reviennent chaque année.

Die Hansestadt Lübeck besitzt noch heute so viele Bauten aus dem 13. bis 15. Jahrhundert wie keine andere norddeutsche Stadt, sodass sie zu Recht zum Weltkulturerbe ernannt wurde. Lübecks Wahrzeichen, wer kennt es nicht, ist das Holstentor. Erbaut 1464/78 vom Lübecker Ratsbaumeister Hinrich Helmstede, ist es das berühmteste deutsche Stadttor. Gotik und Renaissance wuchsen in dem Rathausbau zu einer eindrucksvollen Symbiose zusammen.

The old Hanseatic town of Lübeck has more buildings dating from the 13th to 15th centuries than any other town in North Germany, and for this reason has been named a World Heritage Site. Lübeck's most famous landmark, known to one and all, is the Holstentor, built between 1464 and 1478 by the Lübeck town architect Hinrich Helmstede. This gateway is now the most famous of its kind in Germany. The Town Hall contains elements of Gothic and Renaissance styles, combined in an impressive synthesis.

L'ancienne ville hanséatique abrite plus d'édifices des XIIIe et XVe siècles que n'importe quelle autre ville du Nord de l'Allemagne, et est inscrite sur la liste du patrimoine culturel mondial. Son symbole le plus célèbre est le Holstentor. Construite entre 1464 et 1478 par Hinrich Helmstede, l'architecte urbaniste de Lübeck, cette œuvre superbe est sans doute la porte la plus connue d'Allemagne. L'hôtel de ville associe les styles gothique et Renaissance en une synthèse remarquable.

Das höchst gelegene Leuchtfeuer Europas (117 Meter) zeigt den Seefahrern den sicheren Weg in den Travemündener Hafen. Der Hafen ist heute eine Anlaufstelle für eine Vielzahl von imposanten Kreuzfahrtschiffen aus aller Welt. Sehenswert ist die romantische Altstadt von Travemünde, eine Stadt mit Flair und Stil. Der Strand ist feinsandig, 4,5 Kilometer lang und so breit wie nirgendwo sonst an der deutschen Ostseeküste. Zum Wahrzeichen Travemündes ist inzwischen der Windjammer „Passat" geworden, insgesamt hat dieser 39-mal Kap Hoorn und sogar die Welt umrundet.

Here, the highest lighthouse in Europe (117 metres high) guides seafarers safely into the port of Travemuende. Today, this harbour provides a favourite stopover for imposing cruise ships from all over the world. Well worth a visit is the romantic Old Town of Travemünde, a place which combines flair and style. The beach of fine sand is 4.5 kilometres long and wider than any other beach along the German Baltic coast. These days Travemünde's most famous landmark is the windjammer "Passat", which in its heyday rounded Cape Horn thirty-nine times and even sailed right around the world.

Ici, le plus haut phare d'Europe (117 m) guide les marins vers le port de Travemünde. Aujourd'hui, le port est surtout une halte pour les grands bateaux de croisière venus du monde entier. La belle plage de sable fin est longue de 4,5 km et a une largueur égalée nulle part ailleurs sur la côte allemande de la Baltique. Le voilier « Passat » aujourd'hui emblème de la ville, a franchi 39 fois le Cap Horn et même fait le tour du monde. Travemünde est également une station balnéaire et de thalassothérapie élégante. À visiter absolument sont ses vieux quartiers à l'atmosphère très romantique.

Wer noch weiteres maritimes Flair schnuppern möchte, sollte das Haus der Schiffergesellschaft in der Breiten Straße besuchen: „Die klassischste Kneipe der Welt" – so nennt sich das Fischlokal heute. Immerhin ist das Backsteinhaus mit dem wunderschönen Staffelgiebel aus 1535 das einzig noch erhaltene Gildehaus. In der Historischen Halle haben schon vor Jahrhunderten die Seeleute an den langen Tischen aus Schiffsplanken „Seemannsgarn" gesponnen und über ihnen hingen, wie heute noch, die alten Schiffsmodelle an der rustikalen Balkendecke.

If you want to absorb more of Lübeck's maritime flair, a visit to the Schiffergesellschaft in Breite Strasse is a must. Today, this fish restaurant vaunts itself as the world's most classical example of a tavern. Certainly this grand brick house of 1535, with its wonderful stepped gabling, is the only surviving guild house. Centuries ago, sailors would sit in its historic hall at long refectory tables made of ship's planking and spin their seaman's yarns, while above them, as today, old models of ships hung from the rustic beams of the ceiling.

Ancienne capitainerie, le « Haus der Schiffergesellschaft » dans la rue Breite Straße vaut une visite : Le restaurant à poisson s'enorgueillit d'être « la brasserie la plus traditionnelle du monde ». Il est vrai que l'édifice en brique surmonté de superbes pignons, bâti en 1535, est l'unique maison de guilde conservée jusqu'à aujourd'hui. Il y a des siècles, les marins évoquaient déjà leurs périples, assis aux longues tables en planches de bordage, avec au-dessus de leurs têtes les maquettes de bateaux accrochées aux poutres du plafond.

Der Stadtstaat Hamburg hat nicht nur den Reiz einer Millionenstadt, die Stadt ist auch ein Gemisch aus Geldverdienen und Gemütlichkeit. Die Kneipen an der Hafenstraße und am Fischmarkt dienten den Seeleuten aller sieben Meere als Ankerplatz. Heute sind die Liegezeiten so kurz geworden, dass die Seelords nur noch wenig Zeit zum Landgang haben. Hamburg ist das Tor zu den Meeren der Welt. Gegründet wurde hier vor mehr als tausend Jahren eine Feste „Hammaburg". Die Besiegelung des Freibriefes der Überseezulassung von 1189 durch Kaiser Friedrich Barbarossa wird jährlich am 7. Mai als Hafengeburtstag gefeiert.

The city of Hamburg is also an independent state within the Federal Republic. The people of Hamburg are reckoned to have a very correct, business-like approach to life, though stereotypes are always risky. Mariners from all seven seas used to drop anchor at the bars along Hafenstrasse and the Fischmarkt. Nowadays, however, ships dock for such short periods that crews have very little time to go on land. Hamburg, Germany's gateway to the world's oceans, started its history over a thousand years ago as a Christian settlement with a castle, the Hammaburg. They celebrate the Habour's birthday every year on the 7th of May.

Hambourg qui constitue un «Land» à elle seule, offre de nombreuses places d'agrément malgré ses étroites frontières. Autrefois, les cafés de la rue Hafenstrasse et du Fischmarkt étaient fréquentés par des marins de toutes les mers du monde. Mais les jours de planche sont si réduits aujourd'hui qu'ils n'ont plus guère le temps de descendre à terre. Hambourg est la porte sur les mers du monde. «Hammaburg», forteresse près de l'obstacle, fut fondée il y a plus de mille ans. La ville prit toutefois de l'importance avec le port. Le 7 mai de l'an 1189, l'empereur Frédéric Barbe-rousse aurait son privilèges favorisant la ville.

Hamburgs Hafen breitet sich über ca. 72 Quadratkilometer, ein Zehntel der Fläche der Hansestadt, aus. Über 11.000 Seeschiffe laufen ihn pro Jahr an, aber auch ebenso viele Binnenschiffe. Die Anzahl der Schiffe wird immer geringer, dafür wird ihre Tonnage immer gewaltiger. In der Weltrangliste der Containerhäfen liegt Hamburg an elfter Stelle. Am Jungfernstieg, Hamburgs exklusivstem Einkaufsboulevard, konkurrieren zahlreiche Juweliere um zahlungskräftiges Publikum. Das Luxus-Hotel „Vier Jahreszeiten" strahlt von hier aus seinen eleganten Charme hinweg über alle Meere.

Hamburg harbour extends over 71 km², a tenth of the area of the city, and over 11,000 seagoing vessels dock here annually, as do a similar number of inland vessels. Although the number of ships is declining, their tonnage has been greatly increased and the Elbe's shipping channels require regular dredging. Hamburg is the world's ninth largest container port. A well-heeled public frequents Hamburg's most exclusive shopping boulevard where countless jewellers' shops compete for customers' attention. The hotel „Vier Jahreszeiten" jets from here on its elegant charme away over all seas.

Le port a une superficie de 71 km², à savoir un dixième de Hambourg. Il reçoit plus de 11 000 navires océaniques par an, et autant de bateaux de navigation fluviale. Le nombre des navires diminue, mais leur tonnage ne cesse d'augmenter. Hambourg est le neuvième port à conteneurs du monde. Bordé de magasins luxueux, le Jungfernstieg est la rue la plus exclusive de Hambourg. L'hôtel « Vier Jahreszeiten », giclent d'ici dessus son charme élégant loin au-dessus de toutes les mers.

Seit fast 500 Jahren nennt sich die Region im Südwesten von Hamburg „Vierlande": Vier wohlhabende Marschdörfer wuchsen hier allmählich zusammen und bildeten einen Deichverband. In Curslack bezaubert die etwa 400 Jahre alte St. Johannis-Fachwerkkirche, und historische Bauernhöfe (wie das Rieckhaus, heute ein Museum) und die Bockwindmühlen, die zur Entwässerung der Marschen benutzt wurden, geben einen Eindruck vom Alltag und der Flutgefahr um 1600: Die Wände vieler alter Häuser sind gekachelt, da die Region früher häufig von Elbfluten betroffen war.

For almost 500 years, the region south west of Hamburg has been known as "Vierlande", four lands. Here, many wealthy marshland villages gradually amalgamated to form an association of dyked districts. Curslack is a charming place, with its 400 year old timbered church of St Johannes and historic farmsteads such as the Rieckhaus, today a museum. The post mills that once drained the marshes give an impression of everyday life and the dangers of flooding around 1600. Many houses have tiled walls, as the Elbe often used to overflow its banks in this region.

Depuis 500 ans, le région au sud-ouest de Hambourg se nomme « Vierlanden » (quatre terroirs) : quatre villages prospères de cette région fertile se sont alors peu à peu réunis pour former une association de protection des digues.Curslack abrite une superbe église à pans de bois bâtie il y a quelque 400 ans et des fermes historiques dont le Rieckhaus. Les moulins à vent servaient à assécher les marais. Les murs carrelés de nombreuses maisons anciennes rappellent que l'Elbe inondait fréquemment la région.

Wegen seiner grünen Hänge ist Flensburg auch das Heidelberg des Nordens genannt worden. Am Ende einer schmal zulaufenden Förde gelegen, bietet diese Stadt außergewöhnliche Schönheiten. Die Altstadt ist liebevoll gepflegt und Besucher machen gerne einen Stadtrundgang durch die vielen Kaufmannshöfe, die für die Fördestadt typisch sind und von der einst großen Bedeutung als Hafenstadt erzählen. Die Förde mit ihrem sauberen Meerwasser gilt als eine der schönsten Wassersportreviere der Ostsee, ihre maritime Infrastruktur ist ausgesprochen vielseitig.

Because of its green slopes Flensburg has often been called the Heidelberg of the North. Situated at the end of a fjord, this city has many objects of beauty to offer. The old town is lovingly cared for and visitors can enjoy the old merchants courtyards typical of this once very important port. The 34-kilometer long inlet with its unpolluted seawater is now regarded as one of the most beautiful water sports areas of the Baltic Sea. There is a wide-ranging maritime infrastructure.

Flensburg a souvent été appelée la Heidelberg du Nord en raison de ses versants verdoyants. Située à l'extrémité d'un fjord étroit, cette charmante ville abrite de nombreuses curiosités. Ses vieux quartiers sont admirablement soignés et offrent des promenades captivantes où l'on découvre de nombreuses places de marché pittoresques qui rappellent l'importance qu'eut jadis l'ancienne ville portuaire. La baie appelée Flensburger Förde à l'eau non polluée, est un des plus beaux endroits de la Baltique pour pratiquer les sports nautiques et est aménagée avec une infrastructure très diversifiée.

Hier, am nördlichsten Zipfel Deutschlands, an der Flensburger Förde mit Blick auf die Dänische Küste liegt Glücksburg. Die vier massigen Türme des Glücksburger Schlosses, das Wahrzeichen der Stadt, stechen stolz aus dem Teich der Schwennau hervor. Zwischen 1582 und 1587 ließ der Sonderburger Herzog Johann der Jüngere das Schloss erbauen und seinen Wahlspruch anbringen: „Gott gebe Glück mit Frieden", so war der Name für Schloss und Stadt geboren. Ein Genuss für die Sinne ist das Rosarium, welches direkt am Schloss liegt.

Here, at the northernmost tip of Germany stands Glücksburg, situated on the Flensburger Förde with a view of the Danish coast. The four massive towers of Glücksburg castle, the town's most prominent landmark, soar proudly over the waters of the lake of Schwennau. Johann the Younger, Duke of Sonderburg, had this castle built between 1582 and 1587 and embellished it with his motto 'May God grant happiness and peace', a saying that was to give a name to town and castle alike. The Rosarium, directly adjacent to the castle, is a delight for all the senses.

Glücksburg s'étend à la pointe nord de l'Allemagne, sur la baie de Flensburg, en face de la côte danoise que l'on peut apercevoir. Les quatre tours massives du château de Glücksburg s'élèvent fièrement au dessus du lac de Schwennau. Le symbole de la ville fut construit entre 1582 et 1587 sous le règne du duc Johann le Jeune qui y appliqua sa devise : « Que Dieu apporte le bonheur et la paix », d'où le nom du château et de la ville (Glücksburg ou château du bonheur). Le Rosarium, situé juste à côté du château, ravit tous les sens.

Unser Luftbild zeigt in der Mitte die naturrunde, 82 Quadratkilometer große Wattinsel Föhr, im Hintergrund Amrum und vorn ein Stück der Hallig Langeness. Wer keine Nordseebrandung liebt, reist nach Föhr, in das Seeheilbad Wyk oder in die anderen Inseldörfer. Sehenswert sind Dorfkirchen und Friedhöfe mit Grabsteinen der Walfänger und Kapitäne. In Wyk befindet sich ein Heimatmuseum. Seit Generationen wandern viele Föhringer aus Existenzgründen in die USA oder nach Australien aus. Bei Festlichkeiten tragen die Frauen noch den ererbten silbernen Friesenschmuck als würdige deutsche Tracht.

The aerial photo shows the circular island of Föhr. In the background the island of Amrun can be seen, in the foreground part of Langeness. There are no spectacular breakers on the sheltered beaches of Föhr, just a quiet swell that harmonises with the neat, photogenic island villages, the little churches and the graveyards where generations of whale fishers and sea captains lie. In the village of Wyk there is a local history museum illustrating the island's crafts, customs and traditional dress, which is one of the most dignified of all the national costumes of Germany.

L'île ronde de Föhr large de 82 km² occupe le centre de la vue aérienne ; Amrun se dessine au fond et on peut voir un morceau de la Hallig Langeness au premier plan. Föhr, à l'abri des vents grâce à la présence de Sylt et d'Amrun, bénéficie d'un climat très doux. Outre la station balnéaire de Wyk où l'on peut visiter le musée du Dr. Häberlin, l'île possède plusieurs villages pittoresques avec des églises paroissiales intéressantes et des cimetières renfermant des tombes curieuses. Durant des générations, de nombreux insulaires émigrèrent vers les USA ou en Australie.

Da die Insel zum größten Teil aus Marschland besteht, wird hier noch sehr viel Landwirtschaft betrieben. Vom Deich aus sind die Vogelkojen, die man einst anlegte um Zugvögel anzulocken, zu erkennen. Die Insel wächst auch heute noch immer weiter: Im Norden wird wie früher Land gewonnen und salzige Wiesen werden als Weideland für Schafe genutzt. Um die Dächer der Häuser in den Orten mit Reet zu decken, werden die Reetwiesen hinter dem Deich jedes Jahr abgeerntet. Föhr erreicht man per Fähre oder mit dem Flugzeug.

Traditional dress is still worn by the women of Föhr on special occasions, along with their heirlooms of distinctive Frisian silver jewellery. Most of the island is marshy and farming has been the main occupation here for centuries. Föhr is actually increasing in size, for the north land is slowly being won from the sea as salt marshes are gradually converted to grazing land for herds of sheep. Reed is a typical roof covering on Föhr and behind the dykes there can be found extensive reed beds which are harvested every year and dried for use by the local thatcher.

Pendant les jours de fêtes, les femmes portent encore un des plus beaux costumes folkloriques allemands et des bijoux en argent typiques de la Frise Septentrionale. L'agriculture est toujours pratiquée sur l'île composée en grande partie de terres fertiles prises sur la mer. Depuis la digue, on reconnaît les cabines installées jadis pour capturer les oiseaux migrateurs. L'île ne cesse de s'agrandir : comme autrefois, on prend des terres sur la mer, les moutons broutent sur les prés salés. Pour recouvrir les toits des maisons, on coupe chaque année les champs de roseaux qui s'étendent derrière la digue.

Helgoland ist einmalig. Die rote Buntsandsteinfelseninsel ist vom nahen Golfstrom so sehr begünstigt, dass auf ihr immer gemäßigte Temperaturen herrschen. Hier, 70 km vom Festland entfernt, findet man eine wahre Oase der Ruhe. Nur die kleinen Sportflugzeuge und Fähren erinnern an das turbulente Leben, welches man einen Urlaub lang hinter sich gelassen hat. Helgoland, Deutschlands einzige Hochseeinsel, besitzt eine Flora und Fauna ganz besonderer Art. Dieses Naturdenkmal kennt keine Umweltprobleme, hier gibt es sogar weniger Staubpartikel als auf der Zugspitze.

Helgoland, the new red sandstone rock island, benefits so very much from the nearby gulf stream that the temperatures here are always very moderate. Here, 70 km from the mainland, you can find a true oasis of peace. Only the small sport planes and ferries remind you of the turbulent life which you have left behind you for a whole holiday. Germany's only open-sea island with its flora and fauna is of a quite special type. This natural memorial knows no environmental problems. There are indeed less dust particles here than on the Zugspitze.

Remarquable pour la belle couleur rouge de ses roches en grès, Helgoland jouit de températures clémentes tout au long de l'année grâce au Gulf Stream qui baigne ses côtes. Cette île d'une superficie de 35 ha est une véritable oasis de paix, à 70 km de la terre ferme. Seuls les petits avions de tourisme et les ferrys rappellent la vie trépidante que l'on a laissé derrière soi en venant ici en villégiature, goûter au charme sauvage de l'île. Helgoland, qui abrite une flore et une faune aquatique uniques, fait partie des monuments naturels protégés.

850.000 Jahresgäste können nicht irren! Aber die größte und nördlichste aller deutschen Nordseeinseln hat zwei Gesichter – mindestens: den Sylter Westen mit Kampen und Westerland, wo Meeresrauschen und Partymusik den Ton angeben. Und das eher stille Sylt-Ost in Morsum mit seiner weiten Wattlandschaft, wo es scheint, als duckten sich die reetgedeckten Friesenhäuser in den einsamen Heidetälern zwischen die Dünen. Auf insgesamt rund 200 Kilometern Radwegen, teils alten Bahntrassen, lässt sich die Insel abseits der belebten Straßen und Orte in aller Ruhe erkunden.

Six hundred and fifty thousand holiday makers can't be wrong! But there are at least two sides to this largest and most northerly of Germany's North Sea islands. There is the western part, with Kampen and Westerland, where crashing waves and lively party-goers prevail, and the peaceful eastern part in Morsum, with its expanses of mudflats and reed thatched Frisian houses that seem to crouch in the lonely heathland amid the dunes. The best way to see Sylt at your leisure is to explore it via the 200 kilometres of cycle paths, some of them abandoned railway tracks, which avoid the busy streets.

650 000 estivants chaque année ne peuvent se tromper ! Si prisée, la plus grande et la plus septentrionale de toutes les îles allemandes de la mer du Nord a au moins deux visages : une face ouest avec Kampen et Westerland, où le mugissement de la mer rivalise avec la musique des fêtes sur la plage ; et une face est avec Morsum, plus paisible, avec de vastes étendues de Watten où les maisons frisonnes tradition-nelles semblent se cacher dans des vallées de landes solitaires. Quelque 200 kilomètres de pistes cyclables offrent la possibilité de décou-vrir les charmes de Sylt.

Das Emsland ist der zweitgrößte Landkreis in der Bundesrepublik Deutschland. Transeuropäische Verkehrsknotenpunkte boten eine sehr gute Entwicklung für die Industrie in dieser Region. In Papenburg an der Ems werden die schönsten Kreuzfahrtschiffe- und Luxusliner vom Stapel gelassen, wo Besucher dies hautnah miterleben können. – Die malerische Altstadt von Leer ist vom niederländisch beeinflussten norddeutschen Barock stark geprägt. – Emden ist nicht nur die größte Stadt Ostfrieslands, sondern auch ein bedeutendes wirtschaftliches Zentrum des Landes.

Emsland is the second largest rural borough in Germany. The presence of major trans-European traffic junctions has always contributed to the area's rich potential for industrial development. Numerous luxury cruise ships and ocean liners have been launched from Papenburg on the Ems, where visitors can experience such events at first hand. – The architecture of the picturesque Old Town of Leer was highly influenced by Dutch-inspired North German Baroque. — Emden is not only the largest town in East Friesland but also an important commercial centre of the region.

Le pays d'Ems est entre autres un carrefour de communications trans-européennes qui a beaucoup contribué au développment industriel de la région. À Papenburg sur l'Ems, les visiteurs peuvent voir la mise à l'eau des superbes bateaux de croisière et des grands paquebots construits dans les chantiers navals de la ville. – Les édifices de la vieille-ville pittoresque de Leer révèlent l'influence néerlandaise dans le style baroque nord-allemand. – Emden n'est pas seulement la plus grande ville de la Frise Orientale, mais aussi un centre économique majeur de cette région du nord de l'Allemagne.

△ Papenburg/Emsland   ▽ Papenburg – Stapellauf an der Meyer-Werft   △ LEER/Ostfriesland, Rathaus   ▽ Emden, Ostfriesland

Das Land Freie Hansestadt Bremen umfasst die Städte Bremen und Bremerhaven. Bremerhaven liegt am östlichen Ufer der Außenweser zu beiden Seiten der Geestemündung. Vor dem Ersten Weltkrieg war die Hafenstadt der größte Passagier- und Auswandererhafen Deutschlands. Berühmt ist noch heute die 300 m lange Columbuskaje, das heutige Tor der Kreuzfahrer. Bremerhaven entwickelte sich zu einem bedeutenden Seefischereihafen und ist auch zentraler Umschlagplatz für Erze und Massengüter. Die großen Containerschiffe finden hier ideale Bedingungen.

The Federal State of the Free Hanseatic City of Bremen consists of the cities of Bremen and Bremerhaven. Bremerhaven is situated on the eastern bank of the Outer Weser. Prior to the First World War, this port was the largest passenger and emigrant harbour in Germany. It is now famous for its 300-metre-long Columbus Quay. Bremerhaven became an important deep-sea fishery harbour and is also the central emporium for ores and bulk goods. The depth of water in the harbour and the good traffic connections make it eminently suitable for the large Container Ships.

La Ville-Etat libre de Brême comprend la ville hanséatique de Brême et Bremerhaven qui s'étend au confluent du Weser et de la Geeste. Avant la première guerre mondiale, Bremerhaven était le plus grand port de transport de voyageurs et d'émigrants d'Allemagne. Le quai Colombus, long de 300 mètres, est encore très célèbre. Bremerhaven est aujourd'hui un important port de pêche et une plaque-tournante pour le mineral et les marchandises de gros tonnage. La profondeur des eaux et les bonnes communications offrent des conditions idéales aux grands navires.

Der größte Hafen nach Hamburg ist Bremen. Als die Weser zu verlanden drohte, gründeten die Bürger an der Mündung Bremerhaven und sicherten sich so den Einfluss ihrer Stadt, der Otto I. ein Marktprivileg erteilt hatte. Nicht Bischöfe, nicht Fürsten, sondern Bürgermeister stehen seit jeher an der Spitze dieser Stadt. Die Tugenden des Handelsbürgertums haben sich unweit von Rathaus und Dom 1404 mit dem Roland ein eigenes Denkmal gesetzt, ein stattliches Standbild der Freiheit und ein Vorbild für andere Städte im Reich.

Bremen on the Weser used to be a port second only to Hamburg. The city lies well inland, and when in the 19th century its livelihood was threatened by accumulating silt in the Weser, the mayor decided to build a new port, Bremerhaven, at the very mouth of the river. Dukes and bishops may have laid down the law elsewhere in Germany, but in Bremen the mayors reigned supreme. The great statue of Roland, dating from 1404, stands before the Town Hall, an impressive monument to the almost defiant pride and independence of Bremen's townspeople.

Brême était le deuxième port d'Allemagne après Hambourg. Comme la Weser menaçait de se dessécher, les habitants de la ville fondèrent Bremerhaven à son embouchure, préservant ainsi l'influence de leur ville qu'Otto I. avait autrefois édifiée. Ni les évêques, ni les princes, mais les bourgmestres ont de tous temps régné sur cette ville. Les vertus de la bourgeoisie commerçante sont symbolisées par la fière statue de Roland dressée en 1404 en face de la cathédrale.

Früher erstreckten sich Wälder im Süden der Stadt Lüneburg. Sie wurden abgeholzt für den Schiffsbau an der Küste und verfeuert unter den Sudpfannen der Lüneburger Sole. Das Waldgebiet wurde zur Heide, das so mit doppeltem Recht den Namen nach der Salzstadt Lüneburg führt. Heute ist die Lüneburger Heide Naturschutzgebiet mit Birken, Wacholder und Heidekraut, am schönsten im Herbst und „wenn abends die Heide blüht …", wie es in einem der vielen Lieder heißt, die die Heide besingen.

In ancient times there were extensive forests to the south of the town of Lueneburg. But they were felled to provide wood for building ships on the coast and to fire the furnaces under Lüneburg's brine coppers. The forest became a heath and thus bears the name of the salt city with doubly good reason. Today the Lüneburger Heide is a nature reserve with birch trees, juniper shrubs and heather. It is at its loveliest in the autumn and "in the evening when the heather blooms …", as it says in one of the many songs inspired by the heath.

Des forêts s'étendaient autrefois dans le sud de la ville de Lunebourg. On les coupa pour la construction de navires et le chauffage des chaudières des salines. La région déboisée devint une lande. Aujourd'hui, la « Lüneburger Heide » ou la Lande de Lunebourg est un parc national d'une grande beauté empreinte de nostalgie et de mystère. Les vallons tapissés de bruyère, de genévriers, les chemins bordés de bouleaux, les sombres forêts de pins offrent les plus beaux paysages durant les mois d'automne.

Als größte Reiseregion Niedersachsens kann die Lüneburger Heide mit einer ganzen Palette von Sehenswürdigkeiten aufwarten, denn nicht nur die violetten Heideflächen sind legendär. Gemütliche Fachwerkorte, imposante Hünengräber und ehrwürdige Klosteranlagen sowie die lebendige Universitätsstadt Lüneburg machen einen Aufenthalt zum Erlebnis. Ruhe und Beschaulichkeit findet man hier bei einer Kutschfahrt oder einer Wanderung entlang der Heidelandschaft mit den leuchtenden Heidekrautfeldern und Wachholderbäumen so weit das Auge reicht.

As the largest holiday region in Lower Saxony, Lüneburg Heath has countless attractions on offer, and its legendary purple heathlands are not its only claim to fame. Cosy half-timbered villages, imposing megalithic barrows and venerable monasteries, along with the lively university town of Lüneburg make a stay here a memorable experience. You can find peace and tranquillity on a ride or a wander over the heathland, with the lustrous fields of heather and juniper trees stretching as far as the eye can see.

Première région touristique de la Basse-Saxe, la Lüneburger Heide propose un large éventail de curiosités en outre de ses légendaires landes violettes. Pittoresques villages aux maisons à pans de bois, tumulus imposants, cloîtres historiques, Lüneburg, ville universitaire animée, font un voyage culturel d'un séjour dans la Lüneburger Heide. Mais on peut aussi et surtout s'y détendre et s'abandonner à la rêverie lors d'une promenade en carriole ou d'une randonnée dans les paysages de bruyère mauve entrecoupés de genévriers, superbe symphonie de couleurs.

Celle liegt dort, wo die Flüsse Aller und Fuhse sich vereinigen, in der Nähe der Lüneburger Heide. Die Stadt ist einstmals aus dem 4 km entfernten Dorf Altencelle hervorgegangen. 1292 entstand Celle auf rechteckigem Grundriss um eine Wasserburg herum. Die vier Flügel der Burg sind um einen großen Innenhof herum angeordnet. Als ältester erhaltener Teil der Anlage gilt die im Stil der Weserrenaissance um 1485 angelegte Schlosskapelle.

Celle stands at the meeting point of the Aller and Fuhse rivers, near the Lüneburg Heath. The city developed from the village of Altencelle. In 1292 Celle grew up around a moated castle according to a quadratic plan. The moat was filled in after 1837 so that the surrounding area could be turned into a park. The four wings of the castle are arranged around a large courtyard. The oldest remaining part of the castle is the chapel which was built in the Weser renaissance style about 1485.

Celle est située au confluent de l'Aller et de la Fuhse, près de la région de la Lüneburger Heide. La ville s'est développée à partir du village d'Altencelle près duquel une localité au tracé géométrique était construite en 1292 autour d'un château à douves. Les douves furent remplies en 1837 pour aménager des espaces verts. Les quatre ailes du château entourent une vaste cour intérieure. La chapelle construite vers 1485 dans le style Renaissance du Weser, est la plus ancienne partie de l'ensemble.

Die Altstadt Celles zeigt uns eine wunderbare Sammlung von reich geschmückten Bürgerhäusern, die dem Ort ein mittelalterliches Gepräge geben. Sie stammen zum Teil aus der Spätgotik, sind aber vielfach dann im Stil späterer Jahrhunderte überbaut worden. Meist handelt es sich um traufständige niedersächsische Fachwerkhäuser mit steilem Satteldach, Dachhäusern, Erkern und Ausluchten. Celle wurde für seine vorbildliche Stadtbildpflege mehrfach ausgezeichnet.

The old-town of Celle displays a wonderful collection of richly decorated townhouses which lend the area a medieval air. They are partly late gothic, though many have been given later facades. Most of the houses are typical of the eaved Lower Saxon half timbered houses with their steep saddle rooves, attics and bay-windows. Celle was serval awarded for its model cultivation of its townscape.

La vieille ville de Celle possède de nombreuses maisons patriciennes richement décorées qui donnent un cachet médiéval à l'endroit. Plusieurs d'entre elles datent à l'origine de la période du gothique tardif, mais ont été restaurées dans les différents styles des époques ultérieures. Elles sont pour la plupart des constructions à colombages avec des toits à bâtière abrupts, des encorbellements et des saillies. Celle a remporté plusieurs pour son entretien exemplaire de la ville.

Als Marktort an der Leine ist Hannover groß geworden, und noch heute treffen sich hier die Industrieproduzenten der Welt alljährlich zur Hannover Messe. Mit sechstausend Firmen aus aller Herren Länder ist sie die größte Industrie-Ausstellung der Erde. Die prächtige Kuppel des neuen Rathauses, 1901 bis 1913 am Maschpark erbaut, erinnert mit den neuen Fronten der Umgebung an den Wohlstand dieser Stadt, die heute Landeshauptstadt Niedersachsens ist. Nicht so deutlich ist das Andenken an den größten Denker dieser Stadt, an Gottfried Wilhelm Leibniz.

Hanover started out life as a market town on the River Leine, and today there is still a market here where industry from all over the wold comes to trade its wares: the "Hanover Messe". With five thousand firms showing their products, the Hannover Trade Fair is the biggest industrial exhibition in the world. The splendid dome of the New Town Hall, built in 1901 to 1913 on the edge of the Maschpark, and the reconstructed facades of the buildings around it are evidence of the prosperity of this city, today the capital of Lower Saxony.

Hanovre s'est développée comme centre commercial dans la vallée de la Leine. Aujourd'hui, la foire de Hanovre attire annuellement toutes les grandes industries du monde. Les cinq mille firmes qui s'y retrouvent font d'elle la plus grande exposition industrielle de la terre. La haute coupole du nouvel hôtel de ville, édifié de 1901 à 1913, atteste la richesse de la ville qui est la capitale de la Basse-Saxe. Le monument du grand penseur de Hanovre, Gottfried Wilhelm Leibniz est bien moins visible.

Seit mehr als 1100 Jahren ist Hildesheim das kulturelle Zentrum zwischen Harz und Heide, Weser und Elbe. Die Stadt prägten drei Kräfte: Dem Klerus verdankt Hildesheim die frühe Entwicklung, den Bürgern die Schaffung dieser einzigartigen mittelalterlichen Fachwerkstadt und den Menschen der Neuzeit den Übergang in die Moderne. Prachtvolle Zeugen der Zeit findet man vielfach in Hildesheim, wie das Knochenhaueramtshaus von 1529, das Wedekindhaus am Marktplatz sowie das Tempelhaus, welches noch im Original erhalten ist.

For more than 1,100 years, Hildesheim has been the cultural centre between the Harz mountains and the Heath between the rivers Weser and Elbe. The town is characterised by three forces. Hildesheim owes it early development to the clergy, this unique half-timbered town to the burghers and the transition to the modern to the people of modern times. A variety which is splendid testament to the period can be found in Hildesheim, taking examples such as the Butchers Deanery of 1529 and the Wedekind building on the Market square which is preserved in the original.

Depuis plus de 1 100 ans, Hildesheim est le centre culturel entre le Harz, la Heide, la Weser et l'Elbe. La ville a connu trois étapes : le clergé l'a créée ; au moyen âge, les bourgeois l'ont dotée de superbes maisons à colombages et les habitants des temps modernes l'ont développée en une cité industrielle prospère. Hildesheim abrite de nombreux édifices historiques dont l'hôtel de ville bâti en 1529 et restauré après la guerre, la maison dite Wedekindhaus sur la place du marché et la maison dite Tempelhaus qui sont encore les bâtiments d'origine.

Reich war einst auch Braunschweig, das mit Heinrich dem Löwen für immer verbunden ist. Er residierte in der Burg Dankwarderode, einem Saalbau von 1175. Auf dem Burghof wacht der ehemals vergoldete Burglöwe als Zeichen seiner Macht und Gerichtsbarkeit, die erste monumentale Freifigur des Mittelalters. Als die Herzöge dann ihre Residenz nach Wolfenbüttel verlegten, blühte auch in Braunschweig bürgerliches Selbstbewusstsein auf. Der Altstadtmarkt mit der Martinikirche hat seit jenen Tagen als Architektur-Ensemble überdauert.

Braunschweig was also once rich and eternally connected with Henry the Lion. He resided in Dankwarderode Castle, a hall built in 1175. In the courtyard of the castle, the once gold-plated castle lion stands guard as a symbol of his power and jurisdiction – the first monumental free figure of the Middle Ages. As the dukes then moved their residence to Wolfenbüttel, bourgeois self-assuredness blossomed. The market of the Old Town with the Martini Church has been preserved since those times as an ensemble.

La ville de Braunschweig est liée à jamais au nom de Henri le Lion, duc de Saxe et de Bavière au XIIe siècle. Il résidait au château de Dankwarderode, construit en 1175. La statue dorée du lion qui s'élève dans la cour évoque la puissance et le pouvoir de rendre justice d'un des premiers grands personnages du moyen âge. Lorsque les ducs changèrent leur résidence pour Wolfenbüttel, les bourgeois continuèrent de développer la prospérité de la ville. La place du marché Altstadtmarkt bordée de l'église Martinikirche date de cette époque.

JNSCHWEIG   △ Schloss Arkaden   ▽ Handwerkskammer   △ Altstadtmarkt mit Martinikirche   ▽ Burg Dankwarderode, Rathausturm

Das Tor wurde 1791 neu erbaut. Es sah fortan die festlichen Einzüge der Kaiserzeit, die siegreichen aber auch die geschlagenen Truppen während des Ersten Weltkrieges, die Revolutionskämpfe 1918, den Fackelzug der SA am 30. Januar 1933, die Besetzung Berlins durch die Sowjetische Armee, den Mauerbau am 13. August 1961, tanzende junge Menschen aus aller Welt auf der Mauer nach der Öffnung am 9. November 1989 und eine überschwängliche Silvesterfeier im gleichen Jahr sowie tausende von Menschen am Tag der Wiedervereinigung am 3. Oktober 1990.

The gate was built in 1791. The gate has witnessed the festive entries into the city in the imperial period, the victorious, but also the defeated troups of World War I, the revolutionary fights of 1918, the torchlight procession of the SA on January 30, 1933, the occupation of Berlin by the Soviet army, the building of the Wall on August 13, 1961, young people from all over the world dancing on the Wall after its opening on November 9, 1989, and a rambunctious New Year's celebration in the same year, as well as thousands of people on the day of reunification, October 3, 1990.

La porte fut pourtant érigée en 1791. La Porte vit ensuite les parades solennelles de l'epoque impériale, les troupes victorieuses, et puis vaincues de la première guerre mondiale, les combats révolutionnaires de 1918, le cortège de flambeaux des SA le 30 janvier, 1933, l'occupation de Berlin par l'armée soviétique sur son faîte et l'érection du mur le 13 août 1961. Elle vit aussi des jeunes du monde entier danser le 9 octobre 1989 sur le mur ouvert, la célébration d'une Saint-Sylvestre frénétique la même année et le 3 octobre 1990.

Das Reichstagsgebäude als Tagungsort für den Bundestag ist das sinnfällige Symbol für die Wiedereinrichtung der deutschen Hauptstadt in Berlin. Am 19. April 1999 wurde das nach den Plänen von Sir Norman Foster umgebaute Reichstagsgebäude vom deutschen Bundestag übernommen. Die gläserne Kuppel, Wahrzeichen des Gebäudes, ist auch für Besucher begehbar. Die Entstehung des neuen Stadtteils im ehemaligen Mauer-Grenzbereich ist Ausdruck der Hoffnung in die künftige wirtschaftliche Stahlkraft Berlins.

The redesign of the Reichstag building as the place where the Federal government now convenes is an unmistakable symbol of the transition of power in the Republic from Bonn to Berlin. On 19th April 1999 the German Bundestag held its inaugural session in the building redesigned by Sir Norman Foster. The glass dome, the building's outstanding feature, is open to the public. The erection of a new city quarter near the old German border and the wall is an expression of the hopes invested in Berlin's future economic strength.

La reconstruction du Reichstag, nouveau lieu de réunion du Bundestag, est le symbole incontestable du transfert du pouvoir politique de Bonn à Berlin. Le 19 avril 1999, le Deutsche Bundestag emménagea dans les nouveaux bâtiments du Reichstag, reconstruits conformément aux plans de Sir Norman Foster. La coupole de verre, figure symbolique du bâtiment, est également accessible au public. La construction de tout un quartier nouveau près de l'ancienne frontière et du mur exprime le désir que la ville de Berlin devienne une puissance économique.

Reichstag, gläserne Kuppel / glass dome / coupole de verre   ▽ Friedrichstadtpalast   △ Berlin-Mitte   ▽ Hauptbahnhof / Central Station / Gare

Viele geniale Architekten haben das Gesicht Berlins geprägt. Die Barockbaumeister Andreas Schlüter und Georg Wenzeslaus von Knobelsdorff gehörten zur Zeit des Rokoko zu den bedeutendsten Künstlern ihrer Art. Kein anderer aber schuf so bestimmende Werke wie der in Neuruppin geborene Karl Friedrich Schinkel – Musterbeispiele des Klassizismus wie die Neue Wache, das Neue Schauspielhaus am Gendarmenmarkt, das Alte Museum oder die Nikolaikirche in Potsdam. Schinkels Architektur wurde zum Staats-Stil des erstarkenden Preußen nach dem Sieg über Napoleon im 19. Jahrhundert.

Many architects of great genius have shaped Berlin. The baroque master architects Andreas Schlüter and Georg Wenzeslaus von Knobelsdorff of the rococo period are two of the most significant. Yet none of them created such definitive works as Karl Friedrich Schinkel from Neuruppin – textbook examples of classicism like the Neue Wache, the New Playhouse on the Gendarmenmarkt, the Old Museum or Church of St. Nicholas in Potsdam. Schinkel's style became the hallmark of state architecture, as Prussia rose to power after the victory over Napoleon.

De nombreux architectes géniaux ont modelé le visage de Berlin. Andrea Schlüter et Georg Wenzeslaus von Knobelsdorff, passés maîtres dans l'art baroque au temps du rococo, font partie des plus remarquables. Nul autre, à part Karl Friedrich Schinkel né à Neuruppin, n'a accompli de travail aussi déterminant. Des exemples typiques du classicisme : la Nouvelle Garde, le nouveau théâtre sur le Gendarmenmarkt, le vieux musée ou l'église Saint-Nicolas à Postdam. L'architecture de Schinkel fit office de style d'État de la Prusse en pleine ascension après la victoire contre Napoléon.

Für den westlichen Abschluss der Straße Unter den Linden entwarf der bedeutendste deutsche Architekt des 19. Jahrhunderts, Karl Friedrich Schinkel, die 1822–1824 erbaute Schlossbrücke. Die acht Marmorgruppen auf den hohen Postamenten zeigen das Leben eines Kriegers unter der Leitung der Göttinnen Nike, Minerva, Iris und Pallas Athene. Die Brücke überspannt die Spree. Hier legen die Flussfahrtschiffe an, mit denen man interessante Stadtrundfahrten auf den umfangreichen Wasserstraßen durch Berlin unternehmen kann.

The western terminus of the boulevard Unter den Linden, the Schlossbrücke, built in 1822-1824, was designed by the most important German architect of the 19th century, Karl Friedrich Schinkel. The eight marble groups of statues on high pediments depict the goddesses Nike, Minerva, Iris and Pallas Athene. The bridge spans the River Spree, and here there is a mooring-place for the river steamers which cruise along Berlin's numerous waterways, offering visitors interesting sightseeing tours of the city.

Le pont « Schlossbrücke » qui ferme le boulevard Unter den Linden à l'ouest, a été bâti entre 1822 et 1824 par Karl Friedrich Schinkel, le plus grand architecte allemand du XIXe siècle. Les huit statues en marbre perchées sur de hauts piédestaux figurent les déesses Nike, Minerva, Iris et Pallas Athene. Le pont franchit la Spree. C'est ici que font escale les bateaux permettant de faire d'intéressants tours de la ville sur les multiples voies navigables de Berlin.

Der Besuch des Zaren Alexander I. im Jahr 1805 veranlasste König Friedrich Wilhelm III. zur Umbenennung des Platzes in Alexanderplatz, oder kurz Alex genannt. Einst fanden hier der Viehmarkt, die jährliche große Wollmesse, sowie ein Wochenmarkt statt. Eindrucksvolle Paraden wurden abgehalten und der Platz wuchs immer mehr zum Verkehrsknotenpunkt heran. Seine Blütezeit erlebte er Anfang des 20. Jahrhundert mit dem Bau des Bahnhofes und der legendären Warenhäuser. Seine Wiedergeburt erfährt der Alex heute unter anderem durch das Einkaufszentrum Alexa.

The visit of Tsar Alexander I in 1805 prompted King Friedrich Wilhelm III to rename this square Alexanderplatz – or Alex for short. It was once the site of a cattle market, an annual wool fair and a weekly market. Impressive parades also took place here, and gradually it became an increasingly important traffic junction. The heyday of Alexanderplatz came at the start of the 20th century with the building of its railway station and legendary department stores. Today, Alex is undergoing a renaissance, with new features such as the Alexa shopping centre.

La visite du tsar Alexandre Ier en 1805 incita le roi Frédéric Guillaume III à rebaptiser cette place Alexanderplatz, surnommée « Alex » par les Berlinois. Autrefois s'y tenaient le marché aux bestiaux, la grande foire annuelle du textile, des marchés hebdomadaires et d'impressionnantes parades militaires. Au fil du temps, la place devint un important carrefour de circulation. Elle connut son apogée au début du XXe siècle avec l'édification de la gare et de grands magasins renommés. « Alex » vit aujourd'hui une renaissance grâce entre autres au centre commercial Alexa.

Die Friedrichstraße ist die alte Nord-Süd-Magistrale, die vom Mehringplatz am Halleschen Tor bis zum Oranienburger Tor verläuft. In der Zeit Friedrich Wilhelms I. war die Friedrichstraße direkte Marschstraße zum Exerzierplatz auf dem Tempelhofer Feld. Noch unter Wilhelm II. nahmen die Truppen hier ihren Weg vom Manöver zum Schloss. Im Berlin der Kaiserzeit wurde die Friedrichstraße erste Geschäfts- und Vergnügungsstraße der Stadt. Um 1900 gab es hier noble Hotels, Banken, Operettenhäuser, Revuepaläste und vieles andere.

Friedrichstrasse is the old north-south axis, running from Mehringplatz by the Halle Gate to Oranienburg Gate. In the time of Frederick William I, Friedrichstrasse was the direct marching route to the parade ground on Tempelhof Feld. Troops continued to use this route from exercise to the castle in the days of William II. In imperial times Friedrichstrasse was the focus of business and entertainment in the city. Around 1900 there were stylish hotels, banks, operetta houses, music halls and much more besides.

La Friedrichstrasse est l'ancien axe nord-sud reliant Halleschen Tor à Oranienburg Tor à partir de Mehringplatz. A l'époque de Frédéric Guillaume Ier, les militaires empruntaient la Friedrichstrasse pour se rendre à la place d'exercice sur le Tempelhof Feld. Puis, sous Guillaume II, les troupes passaient ici pour se rendre des manoeuvres au château. A l'époque de l'empereur, la Friedrichstrasse était la rue la plus prisée de Berlin. Autour de 1900, on trouvait ici des hôtels chics, des banques, des salles où se jouaient des opérettes, des salles de music-hall (revues ou cabarets) et d'autres choses.

Um vom Berliner Schloss in den Grunewald zu gelangen, war ein Weg nötig. Aus diesem Weg entwickelte sich im Laufe der Zeit eine der berühmtesten Straßen der Welt, der Kurfürstendamm. Der Ausbau der Straße erfolgte zwischen 1883 und 1886 auf Initiative des Reichskanzlers Otto von Bismarck. Gegen Ende des vorigen Jahrhunderts begann auch die Bebauung mit aufwendigen Mietshäusern, von denen sich nur wenige erhalten haben. Die große Zeit des Boulevards waren die 20er Jahre, als es auf ihm etwa 100 Cafés und Restaurants gab.

This road eventually envolved into one of the most famous streets in the world. Its construction in 1883–1886 was initiated by the chancellor of the Reich, Otto von Bismarck. The construction of costly residential buildings also began towards the end of the last century. Only a few have remained. The heyday of the boulevard was in the twenties, when about 100 cafés and restaurants lined the street. Many scientists, authors and artists lived at the "Ku-Damm".

Le boulevard fut d'abord une simple artère réunissant le château royal en ville à Grunewald. Au fil du temps, il est devenu une des plus célèbres rues du monde. Son aménagement urbain commença entre 1883 et 1886 sous le gouvernement du chancelier Otto von Bismarck. De grand blocs d'habitations – dont la plupart ont été détruits – y furent ensuite construits à la fin du siècle dernier. Mais le boulevard connut son âge d'or dans le années Vingt. Quelque cent cafés et restaurants le bordaient ; un grand nombre de savants, d'écrivains et d'artistes y résidaient.

Die Geschichte der Stadt begann mit zwei Dörfern im märkischen Sand: Cölln und Berlin. Groß wurde die Stadt dann unter dem Adler der Preußen. Die Kurfürsten erhoben sie zur Residenz. Das Charlottenburger Schloss fasziniert durch das breite Spektrum der Schlossanlage, die sich über 550 Meter erstreckt. Dabei begann alles ganz bescheiden. Nach einem Entwurf von Arnold Nehring entstand 1695–1699 ein Lustschloss für die Kurfürstin Sophie Charlotte. Mit der Krönung Kurfürst Friedrichs III. zum König in Preußen (1701) begann am Schloss eine rege Bautätigkeit.

The history of Berlin began with two villages, Berlin and Cölln, set in the sandy soil of Mark Brandenburg. Berlin rose to power under the aegis of the Prussian eagle. Charlottenburg Palace attracts by the expanse of the palace buildings, extending to a length of 550 metres. The beginnings, however, were quite modest. In 1695–1699, a small summer palace was built for Electoress Sophie Charlotte according to plans of Arnold Nehring. When Elector Friedrich III was crowned King of Prussia in 1701, builders were briskly put to work at the palace again.

L'histoire de la ville commence avec deux villages dans les Marches : Cölln et Berlin. Berlin prit ensuite de l'ampleur sous l'aigle de la Prusse. Charlottenburg lieu très apprécié avec, une façade principale de 550 mètres de longueur, une haute tour et deux longues ailes offre une image impressionnante. Le premier édifice fut érigé de 1695 à 1699 par l'architecte Arnold Nehring, comme château de plaisance pour la princesse Sophie-Charlotte. Son époux, le prince-électeur Frédéric III le fit agrandir quand il devint roi de Prusse sous le nom de Frédéric 1er (1701).

Ein erheblicher Teil des Berliner Stadtgebietes von 883 Quadratkilometern besteht aus Wasser. Das Labyrinth von Havel, Spree und Märkischen Seen zieht sich durch das Zentrum der Stadt und von allen Seiten an sie heran. Allein die Fläche der Berliner Seen wie Wannsee, Tegeler See oder Müggelsee ist größer als die aller Alpenseen zusammen. Somit bieten sich den Berlinern einzigartige Möglichkeiten für den Wassersport und sonstige Freizeit an und auf dem Wasser. Die Havel, die sich immer wieder seenartig verbreitert, bildet einen großen Teil vom nassen Herzen Berlins.

A considerable amount of Berlin's 883 square metres consist of water. A veritable labyrinth of lakes, including Havel, Spree and the Märkische lakes, surrounds the city and broad stretches of the Havel even run through the centre. The surface area of lakes like the Wannsee, Tegeler See and Müggelsee is in fact greater than all the Alpine lakes put together. For the Berliners these stretches of water provide unique opportunities for water-sports and similar activities on and by the water.

Une grande partie des 883 km² du territoire de Berlin est recouverte d'eau. Le labyrinthe de la Havel, de la Spree et des lacs de la Marche enferme la ville et s'étend jusqu'à son cœur. La superficie du Wannsee, du Tegeler See ou du Müggelsee, trois des lacs berlinois, est plus grande que l'ensemble de tous les lacs alpins. Ces immenses plans d'eau offrent aux Berlinois de splendides sites de loisirs et de multiples possibilités de pratiquer toutes sortes de sports nautiques. La Havel, qui s'élargit en de nombreux petits lacs, constitue notamment le cœur lacustre de Berlin.

Der Name „Sanssouci" sagt, dass der Bauherr hier ein Leben „ohne Sorgen" führen wollte. Friedrich der Große hatte in Ideenskizzen seine Wünsche vorgegeben, und der Baumeister von Knobelsdorff erbaute Sanssouci zwischen 1745 und 1747. Das Sommerschloss steht auf einem ehemaligen Weinberg. Es ist über sechs Terrassen zu erreichen, unter deren verglasten Nischen Feigen und Trauben für Wein gezogen wurden. Von erlesenem Geschmack und dem Höhepunkt des Rokoko sprechen die prunkvollen Innenräume wie der Marmorsaal, die Bibliothek oder das Musikzimmer.

Sanssouci Palace in Potsdam is famous all over the world. The name "Sanssouci" indicates that its owner wanted to lead a life "without cares" here. Frederick the Great had made sketches of his ideas and wishes and the master builder Georg Wenzeslaus von Knobelsdorff built the palace, which rather resembles a country residence, between 1745 and 1747. The site of the summer residence is a former vineyard. It is approached by means of six terraces under whose glassed-in recesses figs and vines are cultivated. The rooms are masterpieces of the Rococo, e.g. the marble hall, library or music room.

Le château Sans-Souci à Potsdam jouit d'une réputation mondiale. Son nom dévoile la pensée de son propriétaire : la recherche d'une vie paisible. Georg Wenzeslaus von Knobelsdorff bâtit le château, qui ressemblait plus à une résidence champêtre, entre 1745 et 1747 d'après des croquis de Frédéric le Grand. Le château d'été se dresse sur une ancienne colline de vignobles. On l'atteint par six terrasses où poussent des figuiers et des ceps de vigne dans des niches vitrées. L'élégance du style rococo imprègne son intérieur : la salle de marbre, la bibliothèque et le salon à musique.

Potsdam – lange Zeit Residenz- und Garnisonsstadt vor den Toren Berlins. Preußenkönig Friedrich Wilhelm I., in die Geschichte als Soldatenkönig eingegangen, baute planmäßig an der Erweiterung der Altstadt und dem Ausbau der Neustadt. Sein Sohn Friedrich der Große machte Potsdam zu einem kulturellen und künstlerischen Mittelpunkt. Es entstanden zahlreiche repräsentative Bauten, dutzende von gediegenen Bürgerhäusern und das Schloss Sanssouci. Auf dem Gemälde „Flötenkonzert von Sanssouci" von Adolph von Menzel (1852) spielt Friedrich II. die Flöte.

From the 18th century onwards the town of Potsdam, in south-west of Berlin, was the chosen residence of the Prussian kings. In Potsdam too were the garrisons of the formidable Prussian army. Frederick I left Potsdam a legacy of notable buildings and his work was continued by his son Frederick William I, the Soldier King. The culmination of their plans came under Frederick I's grandson, Frederick the Great, who made Potsdam a cultural and artistic centre to rival other European capitals. Many of Potsdam's finest buildings and well-proportioned houses date from his reign.

Potsdam fut longtemps une ville de résidence et de garnison aux portes de Berlin. L'agrandissement de la Vieille Ville et la construction des nouveaux quartiers commencèrent durant le règne de Frédéric-Guillaume Ier qui entra dans l'histoire sous le nom du Roi Sergent. Son fils, Frédéric II dit le Grand fit de Potsdam un centre artistique et culturel. La ville s'enrichit alors de nombreux édifices splendides et de douzaines d'élégantes maisons patriciennes.

POTSDAM – Sanssouci, Flötenkonzert / Flute Concert   ▽ Chinesisches Teehaus   △ Orangerie im Park ▽ Garde „Lange Kerls" / "Tall Guys" / « Grands gaillards »

Die einstige Grenzfeste „Brennabor" diente den deutschen Rittern als Wehranlage gegen die Slawen. Auf vierzehn Havelinseln entstand in friedlicheren Zeiten die Stadt Brandenburg. Die Sankt Katherinenkirche mit ihrer dreischiffigen Hallenkirche gilt als ein Meisterwerk der norddeutschen Backsteingotik. Im Archiv des Domes Sankt Peter und Paul werden kostbare mittelalterliche Handschriften aufbewahrt. Die 5,30 m hohe Rolandsfigur am Altstädtischen Rathaus beweist, dass in den Mauern der Stadt die Blutgerichtsbarkeit ausgeübt wurde.

Over 1000 years ago the Teutonic knights used "Brennabor", the border fortress of Brandenburg, in battles against the Slavs. The town was founded in more peaceful times, on fourteen islands in the River Havel. The St Katherine's Church, a masterpiece of North German Gothic, the ancient cathedral of St Peter and St Paul, whose archives contain precious medieval manuscripts, and the Town Hall's vast statue of the mythical knight Roland. Figures of Roland are not uncommon in this area; some say he is a symbol of the bloody justice that prevailed in former times.

L'ancien château-fort « Brennabor » bâti sur la frontière, défendait les chevaliers allemands contre les Slaves. La ville de Brandebourg fut créée sur 14 îles de la Havel en des temps plus paisibles. L'église à trois nefs Sainte-Catherine est un chef-d'œuvre en briques du gothique de l'Allemagne du Nord. Les archives de la cathédrale Saint-Pierre-et-Paul renferment de précieux manuscrits médiévaux. La statue de Roland haute de 5,30 mètres qui se dresse près de l'ancien l'Hôtel de Ville serait un symbole de la justice sanglante qu'on exerçait jadis.

Wie ein Venedig inmitten der Natur, so mutet der Spreewald an, der zu den eigentümlichsten Landschaften Deutschlands gehört. Ähnlich wie der Canale Grande durchziehen in der Umgebung von Lübbenau die zahlreichen Nebenarme der Spree Wälder und Felder und verbinden Dörfer und einzelne Gehöfte miteinander. Das Boot ist als tägliches Verkehrsmittel unentbehrlich. Traditionelles Brauchtum und die Volkskunst der Sorben sind in diesem Landstrich auch heute noch sehr ausgeprägt. An frühere romantische Zeiten erinnern die einstöckigen Blockhäuser mit schilfgedeckten Satteldächern.

Here we have one of the most remarkable landscapes in Germany – the forest of Spreewald, best likened to a woodland version of Venice. Just as the Grand Canal is the main artery of Venice, so the river Spree near Lübbenau is divided into a number of courses which flow through woods and fields, linking up villages and outlying farmsteads. And, as in Venice, the boat is an indispensable form of transport. The Wendish people have retained their customs and traditions till this day, characteristic thatched log cabin with a saddle roof.

Le Spreewald, un des paysages les plus singuliers d'Allemagne, ressemble à une Venise au milieu de la nature. Dans les environs de Lübbenau, les nombreux bras de la Spree, tel le Canale Grande, traversent des bois et des champs, relient des villages et des fermes isolées. Le bateau est un moyen de transport indispensable. Les coutumes et l'art populaire traditionnels des Sorbes sont restés vivants jusqu'à nos jours. Les maisons basses aux toits recouverts de roseaux rappellent des temps romantiques.

Kein anderer Ort in Brandenburg erinnert heute noch so an die Kronprinzenzeit Friedrich des Großen wie Schloss Rheinsberg in Rheinsberg auf der Insel im Grienericksee. Hier soll der große König seine glücklichsten Jahre verlebt haben. Als Friedrich König wurde und nach Potsdam umsiedeln musste, vermachte er das von Knobelsdorff gebaute Schloss seinem Bruder, dem Prinzen Heinrich. Im Park nahe dem Schloss befindet sich die Grabstätte des Prinzen. Kurt Tucholsky machte mit seinem „Bilderbuch für Verliebte" Rheinsberg unsterblich.

Nowhere else in Brandenburg carries more memories of the time when Frederick the Great was crown prince as the island palace of Rheinsberg in Rheinsberg on the lake with the name Grienericklake. It is here that the great king is said to have spent his happiest years. When he ascended the throne he had to move to Potsdam and ownership of the palace, which like the grounds was designed by the renowned architect Knobelsdorff, fell to Frederick's brother Prince Heinrich. The prince is buried in a park near the palace.

Le château de Rheinsberg qui se dresse sur l'île du lac de Grienerick, évoque particulièrement la jeunesse de Frédéric le Grand. C'est ici que le célèbre roi aurati passé ses plus belles années, alors qu'il était prince héritier. Il dut aller s'installer à Potsdam après être monté sur le trône et offrit le château bâti par Knobelsdorff à son frère Henri. Le tombeau du prince s'élève dans le parc du château. Kurt Tucholsky a immortalisé Rheinsberg dans son œuvre : « Un livre d'images pour amants ».

Nur der Blick aus der Luft kann den Reichtum der brandenburgischen Landschaft an fließendem und stehendem Wasser erfassen. Eine besonders einprägsame Wasserlandschaft zieht sich am Westrande der Schorfheide hin. Der Voßkanal, wichtig als Verbindung zwischen dem Oder-Havel-Kanal und der Havel, wird hier von unzähligen kleinen Seen und Teichen gerahmt. Zisterzienserinnen des um 1250 gegründeten Klosters Zehdenick nutzten die durch den Tongrubenabbau entstandenen Teiche als Fischteiche, denn sie lebten fleischlos.

Only a bird's eye view – or a flight passenger's one – can take in the rich variety of the flowing and still waters of Brandenburg's countryside. An especially impressive landscape of wetlands and water extends along the western edge of Schorfheide. The Voss Canal, an important link between the Oder-Havel Canal and the Havel, is bordered by countless small lakes and ponds, many dug out by the Cistercian nuns of Zehdenick convent, founded 1250. They ate no meat and so needed a ready supply of fish.

Seule une vue aérienne peut dévoiler la richesse en lacs et rivières de la nature brandebourgeoise. Un véritable paysage d'eau s'étend tout le long de la lisière occidentale de la Schorfheide. Le canal de Voss qui est une voie navigable importante entre le canal de l'Oder-Havel et la Havel, est bordé d'une multitude de petits lacs et étangs. Un grand nombre d'entre eux ont été aménagés par les nonnes du couvent cistercien de Zehdenick fondé vers 1250. Les membres de cet ordre étaient végétariens et avaient besoin de pièces d'eau pour leur fournir du poisson.

An der Wasserenge, die den Fleesensee mit dem Plauer See verbindet, entstand im 13. Jahrhundert Malchow. Der Kern der kleinen Stadt liegt auf einer Insel, über die damals schon eine wichtige Handelsstraße von Mecklenburg nach Pommern verlief. 1298 wurde ein später von Zisterzienserinnen übernommenes Kloster gegründet. Der schlanke, im neugotischen Stil 1844–49 neu gebaute Turm der Klosterkirche, unmittelbar am Wasser gelegen, ist heute ein weithin sichtbares Wahrzeichen von Malchow.

The town of Malchow was founded in the thirteenth century on the narrow stretch of water that links the Plauer See with the Fleesensee. The centre of the little town is situated on an island that once lay on the important trade route from Mecklenburg to Pomerania. In 1298 a monastery was founded here, which was later taken over by nuns of the Cistercian order. The slender neo-Gothic convent tower, dating from 1844–49, stands beside the water and can be seen from afar – a distinctive landmark of Malchow.

Malchow fut fondée au 13e siècle à l'étroit passage qui relie les lacs Fleesensee et Plauer See. Le cœur de la petite ville s'étend sur une île déjà traversée à cette époque par une importante voie de commerce entre le Mecklembourg et la Poméranie. Un cloître, plus tard repris par des Cisterciennes, fut créé en 1298. S'élevant au bord de l'eau et visible de loin, le clocher élancé de l'église du cloître, reconstruit en 1844–1849 en style néogothique, est aujourd'hui le symbole de Malchow.

Es ist eine verhältnismäßig kleine Bucht der Müritz, die sogenannte Kleine Müritz, an der Waren liegt. Erst bei der Urlaubersiedlung Klink weitet sich der See zu jener Größe, die den slawischen Namen Müritz rechtfertigt. Er kommt nämlich vom Wort „morje" und das heißt Meer. Mit einer Wasserfläche von 116 Quadratkilometern ist die Müritz nicht nur der größte See Mecklenburg-Vorpommerns, sondern auch der größte rein deutsche See überhaupt. An seinem Ostufer dehnt sich der Müritz-Nationalpark aus.

Waren is situated on a relatively small bay of the Müritz, the so-called "Kleine Müritz". Not until the holiday resort of Klink does the lake reach a size that justifies its name of Müritz, for the word derives from the Slavic word "morje", which means sea. With an area of 116 square kilometres, the lake of Müritz is not only the largest in Mecklenburg-Vorpommern but also the largest within the frontiers of Germany. The Müritz National Park extends along its eastern shore.

Waren s'étend autour d'une baie relativement petite du lac de Müritz appelé ici « Kleine Müritz » (petit Müritz). Ce n'est qu'à partir de la ville de villégiature Klink que le lac prend la dimension qui justifie son nom. Müritz est en effet dérivé du mot slave « morje » signifiant mer. D'une superficie de 116 km², le lac de Müritz n'est pas seulement le plus grand lac du Mecklembourg-Poméranie-Occidentale, mais aussi le plus grand lac du pays appartenant entièrement à l'Allemagne. Le Parc national de Müritz s'étend sur sa rive orientale.

Neubrandenburg fiel 1292 als Mitgift in den Besitz der Herzöge von Mecklenburg, die die Stadt wehrhaft befestigten. Das nützte jedoch wenig. Selbst das doppeltorige Stargarder Tor aus dem 14. und 15. Jahrhundert, das zu einem der schönsten Profanbauten im Norden Deutschlands gehört, konnte nicht verhindern, dass im Dreißigjährigen Krieg die Kaiserlichen unter Tilly die Stadt am Tollensesee 1631 verwüsteten. Mehrmals brannte die Stadt sogar ab. Ein Kuriosum stellt die 2300 m lange Stadtmauer dar, in welche Wohnhäuser, die so genannten „Wiekhäuser", eingelassen sind.

In 1292 Neubrandenburg fell through marriage to the Dukes of Mecklenburg and it were them who erected sturdy defences against potential attackers. Every 30 metres a house was built into the walls and some of these have survived to this day. Sadly, it was all in vain, for the town suffered wave after wave of invasions over the centuries, one of the most brutal being in the 30 Years' War when Imperial troops drove out the Swedes with appalling loss of life. Even the double Stargarder gateway could not save the townspeople from successive wars, fires and famines.

En 1292, Neubrandenburg sur le lac de Tollensee était donnée en dot aux ducs de Mecklembourg qui entreprirent de fortifier la ville. Mais les enceintes ne servirent pas à grand-chose. Même la double porte appelée Stargarder Tor n'empêcha pas Tilly et ses troupes impériales de dévaster la ville en 1631. La porte datant des XIIIᵉ/XIVᵉ siècles, un des plus beaux monuments profanes de l'Allemagne du Nord, fut plusieurs fois incendiée. Intéressants sont les remparts longs de 2300 mètres qui abritent des maisonnettes.

Mit seinen vielen gut erhaltenen alten Baudenk-mälern gehört Greifswald sicherlich zu den sehenswertesten Städten Mecklenburg-Vor-pommerns und gilt als das kulturelle Herz Vorpommerns. Seit Mitte des 15. Jahrhunderts ist die Stadt Sitz einer Universität, die eng mit dem Namen Ernst Moritz Arndts verbunden ist. Doch nicht nur in der Stadt, auch in der Umgebung gibt es romantische Zeugnisse ver-gangener Zeiten. Dazu gehört die hölzerne Klappbrücke in Wieck nahe Greifswald aus dem 19. Jahrhundert.

The town of Greifswald, with its many well-preserved old monuments, is certainly a must for sightseers visiting the state of Mecklen-burg-Vorpommern, which is the leading cultural centre of Vorpommern. Since the mid 15th century Greifswald has had a university, which is closely connected with the famous German writer Ernst Moritz Arndt. It is not only in the town but also around it that evidence for the romance of the past can be found. There is, for instance, the wooden bascule bridge in Wieck, near Greifswald, dating from the 19th century.

Avec ses nombreux édifices historiques bien conservés, Greifswald est une des villes les plus attrayantes du Land de Mecklembourg-Poméranie-Occidentale, de même que le centre culturel de la Poméranie occidentale. Depuis le XVe siècle, la ville possède une université étroite-ment liée au nom de l'écrivain allemand Ernst Moritz Arndt. Dans la cité, mais aussi aux alentours, des lieux romantiques évoquent les temps passés. Le pittoresque pont levant en bois situé à Wieck près de Greifswald fut construit au XIXe siècle.

Das erhabendste Naturdenkmal der Stubbenkammer ist der Königsstuhl. Mit etwa 119 m Höhe ragt er stolz aus den tiefen Waldschluchten zu beiden Seiten heraus. Der Besucher erreicht ihn über ein uraltes Hünengrab und erlebt gleich darauf tief beglückt die unendliche Weite und Reinheit des wogenden Meeres mit den weißen Fährschiffen und den über sich kreisenden Möwen. Ganz anders die Wissower Klinken, die wie weiße Wächter mit ihren steil aufragenden Zinnen den Kampf gegen Wind und Wogen aufnehmen und doch eines Tages der Wildheit des Meeres ihren Tribut zahlen müssen.

The most outstanding natural feature of the Stubbenkammer is the precipitous Königsstuhl (King's Throne), about 119 metres high. This impressive pinnacle, which soars above the wooded ravines at either side, can be reached by way of an ancient megalithic grave, and visitors who arrive at the top are invariably overcome by feeling of profound joy at sight of the unfolding panorama, with the endless expanse and purity of the surging sea, the white ferries and the swarms of circling gulls. In contrast, the steep battlements of the Wissower Klinken stand like white watchmen, withstanding wind and waves.

Le lieu-dit Königsstuhl est la curiosité naturelle la plus grandiose de la Stubbenkammer. Avec une hauteur d'environ 119 m, il surplombe fièrement les profonds ravins de chaque côté. Le visiteur y accède en empruntant un très ancien dolmen et jouit immédiatement d'un panorama dévoilant l'immensité et la pureté d'une mer houleuse parsemée de ferry-boats blancs autour desquels tournoient des mouettes. Comparables à des gardiens scintillant d'un blanc de neige, les rochers de craie « Wissower Klinken » mènent leur lutte contre le vent et les flots, mais finiront un jour par payer leur tribut à l'impétuosité des flots.

In der sanft geschwungenen Bucht des Prorer Wiek dehnt sich Binz, Rügens größtes Seebad und einer der wichtigsten Ferienorte, aus. Rund vier Kilometer lang zieht sich der wunderbar feinsandige, windgeschützte Strand hin, gesäumt von einer gepflegten Strandpromenade. Schon um die Jahrhundertwende war Binz ein nobler Badeort. — Von ihrer zerrissenen Gestalt her, dem Nebeneinander von Wasser und schmalen Landzungen, ähnelt die Insel Usedom Rügen. Doch Usedom, an dessen Ostrand heute die polnische Grenze verläuft, ist stiller.

In the wide, gently curving bay of Prorer Wiek east of Rügen stands Binz, the island's largest seaside resort and one of its most popluar holiday destinations. The sheltered beach of wonderfully fine sand is four kilometres long, and alongside it there runs a well-maintained promenade. At the turn of the twentieth century Binz was an exclusive resort for the wealthy. — The Baltic islands of Usedom and Rügen have their extremely irregular shape in common. In their jumble of narrow peninsulas and headlands, landscape here becomes inextricably mingled with seascape. Usedom, however, is far less lively than Rügen.

Binz, la plus grande et une des plus fréquentées des stations balnéaires de Rügen, s'étend dans la baie aux courbes gracieuses de Prorer Wiek. Protégée des vents, la magnifique plage de sable fin s'étire sur quatre kilomètres et est longée d'une promenade très bien aménagée. De nombreuses maisons patriciennes rappellent que Binz était déjà une station balnéaire élégante au tournant du siècle. — Les îles baltes d'Usedom et de Rügen se ressem blent par leur configuration très irrégulière et leur enchevêtrement de lagunes et d'étroites langues de terre. Cependant Usedom est bien moins animée que Rügen.

„Altgraue Stadt, die das Meer umblaut" hat die Dichterin Ricarda Huch von Stralsund geschwärmt. Wie recht sie hat, zeigt die Luftaufnahme. Von allen Seiten vom Meer umgeben, ist es die größte Stadt Vorpommerns, die im 13. Jahrhundert als fast dreieckige Anlage auf einer küstennahen Insel gegründet wurde. 1293 wurde Stralsund Mitglied der Hanse, was der Stadt in den folgenden Jahren jenen Reichtum bescherte, von dem heute noch die Pracht der Kirchen und der alten Bürgerhäuser sowie die des Rathauses zeugt.

"Old grey town, sea-blue-surrounded," was the poetess Ricarda Huch's enraptured portrait of Stralsund. Her description is confirmed by this aerial picture. Stralsund, surrounded by sea, is the largest city in Vorpommern. In the 13th century it was no more than a roughly triangular-shaped settlement on an offshore island, but in 1293 it joined the powerful Hanseatic League, which ensured it considerable wealth. Evidence of this former prosperity can be seen in the splendid architecture of the town hall, the churches and the old burghers' houses.

« Vieille ville grise entourée du bleu de la mer », écrit Ricarda Huch qui s'extasie sur Stralsund dans un de ses poèmes. La vue aérienne de la ville révèle la justesse de cette description. La mer baigne de tous les côtés la plus grande ville de la Poméranie occidentale bâtie au XIIIe siècle en forme de triangle sur une île près de la côte. Stralsund devint membre de la ligue hanséatique en 1293. Elle acquit alors une prospérité considérable dont témoigne la somptueuse architecture de ses églises, de ses maisons patriciennes et de son hôtel de ville.

Zwischen Rostock und der Nordspitze der Halbinsel Fischland-Darß-Zingst reihen sich die Badeorte aneinander. Ahrenshoop nennt man oft das Worpswede Mecklenburg-Vorpommerns. Schon im 19. Jahrhundert haben vor allem die Maler die Idyllen des Fischlandes mit seinen Steilufern und den reetgedeckten alten Häusern entdeckt. An der Liebe der Künstler zu Ahrenshoop hat sich seitdem nichts geändert. Genauso beliebt ist der Ort auch bei den Badeurlaubern, die diese Idylle genießen.

One seaside resort after another can be found along the coastline between Rostock and the northern tip of the Fischland-Darss-Zingst peninsula. With its abundance of artists, Ahrenshoop is often referred to as the Worpswede of Mecklenburg-Vorpommern. Painters discovered the idyllic area of Fischland, with its steep cliffs and old reed-thatched houses back in the 19th century, and now as before, Ahrenshoop has remained a favourite venue for artists. Its idyllic situation also makes it a popular resort for visitors seeking a seaside holiday.

Les stations balnéaires se succèdent sur la partie de littoral entre Rostock et la pointe nord de la péninsule Fischland-Darss-Zingst. La plus jolie est Ahrenshoop que l'on compare souvent à Worpswede, un autre village ravissant du Nord de l'Allemagne. Au siècle dernier déjà, les peintres avaient découvert les paysages idylliques du Fischland avec son littoral escarpé et ses vieilles maisons à toit de chaume. Ahrenshoop est toujours aussi prisée des artistes, mais est également devenue une stations balnéaire très fréquentée.

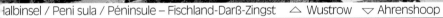

Halbinsel / Peni sula / Péninsule – Fischland-Darß-Zingst   △ Wustrow   ▽ Ahrenshoop   △ Zugvögel / Migratory birds / Les oiseaux migrateurs   ▽ Zeesenboote

Aus einem kleinen Marktflecken der Slawen am Ufer der Warnow, der erstmals 1161 erwähnt wurde, entwickelte sich die größte Hafenstadt Mecklenburg-Vorpommerns: Rostock. Seit 1200 siedelten sich die ersten deutschen Kaufleute hier an. Die große Blütezeit für Rostock waren die Jahrhunderte der Zugehörigkeit zur Hanse. 1419 wurde die erste Universität im ganzen Ostseeraum in Rostock gegründet. Das attraktive Zentrum der Stadt ist heute die Kröpeliner Straße mit ihren vielen Geschäften und zahlreichen Bürgerhäusern verschiedener Stilepochen.

From its beginnings as a Slav market town on the river Warnow, Rostock has expanded into the largest city in Mecklenburg-Vorpommern. The name of Rostock was first documented in 1161, and from 1200 onwards German merchants settled here. Rostock's heyday came during the centuries when it belonged to the medieval Hanseatic League, and the first university of the Baltic region was founded here in 1419. The attractive Kröpeliner Strasse, with its numerous shops and restored burghers' houses in a variety of styles, is the centre of the city.

Rostock, première ville portuaire du Mecklembourg-Poméranie-Occidentale fut à l'origine une petite localité slave sur les bords de la Warnow, mentionnée pour la première fois en 1161. Des marchands allemands vinrent s'y installer dès 1200, mais la ville connut son apogée durant les siècles d'appartenance à la Hanse. La première université de la région balte y fut fondée en 1419. Le centre-ville agréable est aujourd'hui la rue Kröpelin bordée de nombreux magasins et de maisons patriciennes restaurées construites à différentes époques.

Als Herzog Friedrich Franz I. von Mecklenburg-Schwerin 1793 Heiligendamm als Seebad für seine nahegelegene Sommerfrische zu Doberan entdeckte, bekam der Baumeister C. Th. Severin den Auftrag einen noblen Rahmen für ein Ostseebad zu schaffen. Er verwandelte das Fischerdorf in eine weiße Stadt am Meer. Mittelpunkt ist der Kurplatz mit seinen eleganten klassizistischen Bauten. Auffallend ist auch der Kurhauskomplex gleich am Strand, an den sich die vornehme Kurpromenade schmiegt.

When in 1793 Duke Friedrich Franz I of Mecklenburg-Schwerin adopted the village of Heiligendamm as a bathing-place near his summer residence of Doberan, he commissioned the architect C. Th. Severin to produce befitting surroundings for his new resort on the Baltic. Severin converted the former fishing village into a coastal town of white buildings. The central square, named the Kurplatz, is characterized by its elegant neo-classical architecture, while on the seafront the assembly rooms are fronted by a well-kept promenade.

Lorsqu'en 1793, le duc Frédéric-François I de Mecklenbourg qui résidait à Doboran prit Heiligendamm comme lieu de baignade, il demanda à l'architecte C. Th. Severin de transformer le village de pêcheurs en une station balnéaire élégante. Severin créa une ville blanche au bord de la mer. Son cœur en est le Kurplatz, une vaste place entourée d'édifices majestueux de style néoclassique. Le complexe thermal, également très intéressant, borde la jolie promenade qui longe le rivage.

Die Städte Lübeck, Wismar und Rostock schlossen 1259 einen Dreierbund zur Sicherung der Handelswege auf See und Land. Damit begann die Blütezeit der Hanse, und der Handel über die Ostsee und ins Binnenland florierte. Der wirtschaftliche Erfolg und der gesellschaftliche Aufschwung in Wismar zeigt sich noch heute in den mächtigen Sakralbauten der Backsteingotik, den mittelalterlichen Bürgerhäusern und der Stadtmauer. Anstelle eines einfachen Brunnens errichtete man auf dem Marktplatz ein Monument der Wasserkunst im Stil der niederländischen Renaissance.

The beginnings of Wismar can be traced to the 12th century. Originally a Slav fishing village, its name was first recorded in 1259 when it received a charter from the city of Luebeck. In 1259 Wismar joined the powerful Hanseatic League and began its remarkable rise to prominence as a harbour. The former wealth of the town is clearly visible in its huge churches. Wismar suffered considerable destruction during the Second World War, losing two of its historic churches. Nowadays the port of Wismar is the second largest in Mecklenburg-Vorpommern.

Village slave de pêcheurs à l'origine, Wismar se développa à partir du XIIe siècle et est mentionnée pour la première fois en 1229 lorsqu'elle reçut son droit de cité. Elle fit partie de la ligue hanséatique en 1259 et connut dès lors un immense essor économique dont témoignent les églises majestueuses de la ville. Wismar fut gravement endommagée durant la seconde guerre mondiale qui détruisit deux de ses églises historiques. La ville hanséatique est aujourd'hui le deuxième port du Mecklembourg-Poméranie-Occidentale.

Mit dem Mecklenburgischen Staatstheater, das sich aus dem Residenztheater der Großherzöge entwickelt hat, besitzt die Landeshauptstadt eines der bedeutendsten Schauspielhäuser Norddeutschlands. Neben dem Theater ragt der mächtige Domturm auf, der wie der Dom selbst ein Wahrzeichen der Stadt ist. Heinrich der Löwe ließ den ersten steinernen Dom in Schwerin errichten. Er wurde dem berühmten Dom in Ratzeburg nachgebaut und gehört, wie dieser und der Dom zu Lübeck, zu den wichtigsten Sakralbauten der norddeutschen Backsteingotik.

The Mecklenburg state theatre began life as the theatre of the Grand Duke's residence. Now it is one of the leading theatres in North Germany. Next to it the mighty cathedral spire presides over the town, both tower and spire being characteristic landmarks of Schwerin. The first cathedral of Schwerin was founded in the 11th century by Duke Henry the Lion. Modelled on Ratzeburg cathedral it is, like Ratzeburg and Lübeck cathedrals, a prime example of the ecclesiastical brick Gothic style of North Germany.

Théâtre ducal à l'origine, le Théâtre national du Mecklembourg est une des salles de spectacles les plus illustres du Nord de l'Allemagne. S'élevant à côté, la cathédrale et sa tour massive sont des symboles de la ville. La première cathédrale en pierre fut fondée par Henri le Lion au XIe siècle. Elle fut reconstruite d'après le modèle de la célèbre cathédrale de Ratzeburg et avec cette dernière et la cathédrale de Lübeck, fait aujourd'hui partie des édifices religieux majeurs de style gothique de briques du Nord de l'Allemagne.

Auf einer kleinen Insel im Schweriner See ließ Heinrich der Löwe 1160 nahe dem Ufer anstelle der von ihm zerstörten Slawenburg Suarin eine neue Burg bauen. Aus ihr entwickelte sich das heutige Schloss, Sitz des Landtages. Mit seinen 365 Türmen und Türmchen sieht es wie ein Märchenschloss aus, ein norddeutsches Gegenstück zu Neuschwanstein. Sein heutiges Aussehen bekam das Schloss 1843–57 durch die Baumeister Demmler und Willemann nach ersten Ideen von Gottfried Semper. Es wurde dem Schloss Chambord an der Loire nachempfunden.

In the twelfth century Duke Henry the Lion destroyed the Slav fort of Suarin, which stood on the shore of an island on Lake Schwerin. In its place he built a new castle that over the centuries developed into the present palace, now seat of the state parliament. With its 365 towers and turrets it resembles a fairytale castle, a North German counterpart of Neuschwanstein. The exterior dates from 1843–57, when Demmler and Willeman rebuilt the castle. The architect was Gottfried Semper, who modelled his design on Château Chambord on the Loire.

En 1160, Henri le Lion détruisit le fort slave de Suarin qui se dressait sur une petite île du lac Schwerin et fit construire à son emplacement un nouveau château duquel se développa le château actuel, aujourd'hui siège du Parlement du Land. Orné de 365 tours et tourelles, l'édifice évoque un château de contes de fées et est le pendant au Nord de l'Allemagne du château bavarois de Neuschwanstein. Les architectes Demmler et Willerman créèrent sa physionomie actuelle en 1843–57, sur des plans de Gottfried Semper qui s'était inspiré du château de Chambord.

Im Streit um die Landeshauptstadt von Sachsen-Anhalt konnten die Magdeburger wichtige Argumente anführen: Ihre im Jahre 805 erstmals urkundlich erwähnte Stadt zählt zu den ältesten Deutschlands; bereits Kaiser Otto der Große (936–973) erwählte die Pfalz an der Elbe zu seiner Hauptresidenz. In dieser Zeit begannen, gefördert durch das Reichskirchensystem, die Bauarbeiten zum Dom Sankt Mauritius und Katharina, der allerdings 1207 abbrannte. Die danach errichtete dreischiffige Basilika ist die älteste gotische Kathedrale Deutschlands.

When it came to disagreements about the capital of the new state of Sachsen-Anhalt, the people of Magdeburg had no lack of convincing arguments in their favour. Magdeburg was first mentioned in 805 and is one of the oldest towns in Germany. Emperor Otto the Great (936–973) chose the palace on the Elbe as his chief residence and it was during his reign that the foundations of the cathedral of St Mauritius and St Katharina were laid. The original building burnt down in 1207, but the three-naved basilica erected on the site is now the oldest Gothic cathedral in Germany.

Les Magdebourgeois apportèrent des arguments frappants quand il fut question de désigner la capitale de la Saxe-Anhalt : leur ville, mentionnée pour la première fois dans un écrit en 805, est une des plus anciennes d'Allemagne ; l'empereur Otto le Grand (936–973) choisit la cité sur l'Elbe comme résidence principale. C'est à cette époque que commença la construction de la cathédrale Saint-Maurice et Sainte-Catherine qu'un incendie détruisit en 1207. La basilique à trois nefs érigée par la suite est la plus ancienne cathédrale gothique d'Allemagne.

Jahr um Jahr kommen Millionen, manche immer wieder. Eine bemerkenswerte Renaissance erleben die romantischen Landschaften, die erst Heine und Goethe, Hermann Löns und Fontane uns näher gebracht haben. Kein Wunder, dass gerade im Harz unzählige Sagen und Geschichten entstanden, an langen Abenden gesponnen und weitererzählt wurden, von der Teufelsmauer und vom guten Zwerg Hübichenstein. Goethe selbst hatte sich 1777, als er den „Blocksberg" bezwang, wie er den Brocken nannte, genau dort am Hexentanzplatz im „Faust" inspirieren lassen. Hier finden in der „Walpurgisnacht", Hexentänze statt.

Millions of people come year after year. The romantic landscapes, that Heine, Goethe, Hermann Löns and Fontane taught us to see, are currently experiencing a remarkable renaissance. It's little wonder that many legends and stories originate in the Harz. Yarns spun and told on long evenings, like the one about the devil's wall, or the one about the good dwarf Hübichenstein. In 1777 Goethe let himself be inspired to the scene of the witches dance in "Faust" by the Brocken, which he called the Blocksberg. The tradition of witches' dances on Walpurgis night, the night of 1st May, is still upheld today.

Chaque année, des millions de visiteurs y reviennent. Les paysages romantiques que les écrivains Heine, Goethe, Hermann Löns et Fontane nous firent jadis découvrir, vécurent une renaissance remarquable. Ce n'est pas étonnant que justement dans la région du Harz circulaient d'innombrables légendes et histoires que l'on se racontait pendant les longues soirées et qui traitaient aussi bien du mur du diable que du bon nain Hübichenstein etc. En 1777, lorsque Goethe atteignit le point culminant du Blocksberg, il s'inspira de cet endroit pour écrire la célèbre scène de Faust.

 Wernigerode, Rathaus / Town hall / Hôtel de ville   ▽ SCHIERKE, Bahnhof   △ Okertal, Granitklippen / Granit cliffs / Granit écueil   ▽ Burg Regen

Schmuck sieht das spätgotische Rathaus mit seinen Arkaden zum Markt aus. So ist es um 1450 aus einem romanischen Bau entstanden. Über die Freitreppe links erreicht man das Obergeschoss – und hält die Luft an: kostbare Holzschnitzarbeiten und Malereien, lückenlos holzgetäfelte Wände und geschnitzte Leisten im Huldigungssaal, dem Tagungsort der Ratsherren. Den Reichtum der Tuchhändler und Gewandschneider kann man von ihrem roten Gildehaus von 1494, mit Arkaden und barocken Holzstatuen, dagegen schon von außen ablesen.

The late Gothic town hall looks smart with its arcade leading to the marketplace. This is how it evolved from a roman building around 1450. You can reach the top floor by the flight of steps on the left, where one is breathtaken by the precious wood carvings and paintings, perfect wood-panelled walls and carved strips in the homage hall, venue for the members of council. The wealth of the fabric traders and tailors is clearly to be seen when looking at their red guildhall from 1494, decorated with arcades and baroque wooden statues.

L'élégant hôtel de ville de style gothique tardif, dont la construction superpose une halle à arcades, s'ouvre sur la place du marché. Cet hôtel de ville de style roman fut construit vers 1450. Par un escalier extérieur (côté gauche), on monte à la grande salle du premier étage où un intérieur majestueux se présente à nous: de précieuses sculptures sur bois, de splendides peintures, des panneaux de boiserie restés entièrement intacts et des moulures sculptées se succèdent dans la salle de l'Hommage (Huldigungssaal) qui fut jadis aménagée en salle du conseil municipal.

Der Harz – sein Name kommt vom alten deutschen Wort „Hart" für Bergwald – ist eigentlich eine tertiäre Scholle, herausgehoben aus den im Karbon und Devon aufgefalteten Schiefern. Das ist unendlich lange her. Der Harz galt lange als unwegsam und unbewohnbar, und langsam erst wurden die Ränder besiedelt. Erst das ausgehende Mittelalter machte das gerade hundert Kilometer lange und 35 Kilometer breite Gebirge bedeutend. Der Oderteich bei Oderbrück im Nationalpark ist die älteste und war 170 Jahre lang die größte Talsperre Deutschlands. Seit 2010 gehört sie zum Unesco Weltkulturerbe.

The Harz got it's name from the old German word "Hart", meaning hard, which stood for the Bergwald. In fact the Harz is a tertiary clod, elevated by the slate within the carboniferous and the Devonian. But that is long ago. But for a long time the region was considered rough and inhabitable, and only slowly did the people start to populate the edges. The wide mountain range first became important towards the end of the Middle Ages. The nearby Oder lake, not far from Oderbrück, in the National Park is the oldest reservoir in Germany, and for 170 years was the country's biggest.

Le Harz, qui est dérivé de l'ancien terme germanique « Hart » désignant les montagnes aux noms en « Wald » (fôret) est à proprement parler un bloc de l'ère tertiaire surgi des plissements schisteux remontant à l'ère du charbon et du Devon. Mais cette région fut pendant long-temps très difficile à traverser et demeura également longtemps inhabitable. C'est seulement vers la fin du Moyen Age que ce massif revêtit de l'importance. Près d'Oderbrück, le lac de l'Oder, et durant 170 ans, du plus grand barrage d'Allemagne. Depuis 2010, elle est un site du patrimoine mondial de l'Unesco.

Den Marktplatz in Halle dominieren die Türme von Sankt Marien, bereits Hauptpfarrkirche bei der Stadtgründung, und der majestätische Rote Turm mit dem Roland. Dieser freistehende Glockenturm wurde nach knapp hundert-jähriger Bauzeit 1506 vollendet, als Symbol der selbstbewussten Bürger. Eine Saalefurt und früh genutzte Solequellen, als Voraussetzung lukrativer Salzgewinnung, bestimmten Halles Historie. Nach 1650 kam die schnellwachsende Chemieindustrie (Buna, Leuna) hinzu.

The market square in Halle is dominated by the towers of St Maria, parish church ever since the city was founded, and by the majestic Red Tower. Building work on this free-standing bell tower was completed in 1506 after about a hundred years; it is a symbol of the self-assurance of the citizenry. A ford across the Saale and saline springs, the basis for a lucrative salt industry, determined Halle's history. Around 1650 the rapidly developing chemical industry (Buna, Leuna) started up, too.

La place du Marché de Halle est dominée par les tours de Notre-Dame, déjà église paroissiale lors de la fondation de la ville, et par la majestueuse Tour Rouge avec le « Roland ». La construction de ce clocher inoccupé dura près de cent ans, elle fut achevée en 1506 et symbolise la prise de conscience des bourgeois. Un gué de la Saale et une source d'eau saline, utilisée autrefois pour l'extraction lucrative du sel, ont déterminé l'histoire de Halle. Le développement rapide de l'industrie chimique (Buna, Leuna) s'y ajouta à partir de 1650.

Die Alte Handelsbörse ist ein Kleinod des Barocks. Die Leipziger Ratsherren ließen das Gebäude 1678 für die Zusammenkünfte der Kaufleute errichten. Das flache Dach trägt an den Ecken göttliche Figuren: Apollo, Merkur, Minerva und Venus. Heute dient das Gebäude Kammerkonzerten und literarischen Veranstaltungen. Das von Carl Seffner geschaffene Goethe-Denkmal vor der Alten Handelsbörse zeigt den Frankfurter Patriziersohn als Studiosus, der von 1765–1768 an der berühmten Leipziger Universität studierte. Die Medaillons am Denkmal schmücken seine Jugendlieben.

The Old Stock Exchange is a baroque gem. The aldermen of Leipzig had it built as a merchants' meeting place in 1678. The flat roof is decorated at the corners with figures of Apollo, Mercury, Minerva and Venus. Today the building is used for chamber concerts and literary events. The statue of Goethe outside the Old Stock Exchange by Carl Seffner depicts the son of a Frankfurt patrician family as a student. He studied at Leipzig's famous university from 1765–68. The medaillons are decorated with his early loves.

L'ancienne Bourse du commerce est un joyau baroque que les conseillers de Leipzig firent construire en 1678 pour les réunions des marchands. Le toit plat porte à ses coins des personnages divins: Apollon, Mercure, Minerve et Vénus. Aujourd'hui cet édifice est utilisé pour des concerts de musique de chambre et des réunions littéraires. La statue érigée par Carl Seffner devant l'ancienne Bourse du commerce représente Goethe, fils d'une famille noble de Francfort lorsqu'il étudiait à l'université de Leipzig de 1765 à 1768.

Leipzig stand dem Geiste der neuen Zeit sowie den Künsten und der Wissenschaft stets aufgeschlossen gegenüber und strahlt mit diesem Reichtum an Wirtschafts- und Geisteswissen einen ganz besonderen Flair aus. Das lebendige historische Herz der Stadt wird umgeben von einem grünen Promenadenring. Längst hat die Stadt den Rahmen der alten Stadtbefestigung gesprengt und sich vor den Toren als zukunftsorientierte Stadt weiterentwickelt.

Leipzig faced the spirit of the recent time as well as the art and the science always unlocke and radiated with this wealth at economics and spirit knowledge a completely special flair. The alive historical heart of the city is surrounded by a green promenade ring. Long the city blew up the framework of the old city attachment and developed itself further before the gates as a development-joyful city in the light gloss.

Leipzig a fait face à l'esprit du temps récent aussi bien que les art et les stehts de la science ont ouvert et rayonnent avec cette richesse à la connaissance de sciences économiques et d'esprit un Flair complètement spécial. Le cœur historique vivant de la ville entourée par un anneau vert de promenade. Longtemps la ville a fait sauter le cadre du vieil attachement de ville et avant que les portes pendant que la ville développement-joyeuse dans le lustre léger se développait plus loin.

Auerbachs Keller / Auerbachs cellar / La caved Auerbach   ▽ Thomaskirchhof   △ Familie Bach / Bach family / La famille Bach   ▽ Marktplatz zur Weihnachtszeit

Nachdem die Stadtgründung um das Jahr 1165 erfolgte, entwickelte sich hier die Markttätigkeit in verstärktem Maße. Bereits im 12. Jahrhundert gab es für den Handel eine Oster- und eine Michaelismesse. 1458 kam die Neujahrsmesse hinzu. Mit der Verleihung des Messeprivilegs „Reichsmesse" durch Kaiser Maximilian I. im Jahre 1497 begann der Aufstieg der Stadt zu einem der bedeutendsten Handelsplätze in Deutschland. Die Handelswege waren nicht nur eine Wirtschaftsförderung für die Stadt, infolge dessen wurde sie auch zu einem kulturellen Zentrum.

After the establishment of a town in about 1165 trading activity increased. As early as the 12th century there was an Easter and Michaelmas fair. In 1458 a New Year Fair was established, too. After Emperor Maximilian I granted the right to hold an Imperial Fair in 1497, the city grew into one of the most important commercial centres in Germany. The city of Leipzig soon outstripped even Frankfurt am Main, becoming known as the Market Place of Europe. As a result, the town developed into one of the country's main economic and cultural centres.

Après la fondation de la ville aux environs de 1165, les activités marchandes se développèrent de façon accrue. Dès le XIIe siècle une foire de Pâques et une foire de la Saint-Michel favorisèrent le commerce. La foire du Nouvel An s'y ajouta en 1458. Lorsque l'empereur Maximilien Ier dota la ville du privilège de « foire impériale » en 1497, la ville devint l'un des carrefours commerciaux les plus importants d'Allemagne. Grâce à ces voies de commerce la ville est devenue un centre économique et culturel en Allemagne.

△ Mädler Passage   ▽ Barthels Hof

Das unscheinbare Torgau war schon immer ein besonderer Schauplatz deutscher Geschichte: Aus einer Burg, die im 10. Jahrhundert die Elbfurt sicherte, entstand im 16. Jahrhundert mit Schloss Hartenfels ein unregelmäßiger Renaissancebau. Im Jahre 1530 verfassten Luther und Melanchton hier die „Torgauer Artikel", die Grundlagen der „Augsburgischen Konfession". Napoleon ließ die Stadt 1810 zur Festung ausbauen. Am 25.4. 1945 trafen hier an der Elbe amerikanische und sowjetische Truppen zusammen; dies beschleunigte das Ende des Zweiten Weltkrieges.

The unimposing town of Torgau has always been a showplace of German history. Torgau grew up around a 10th century castle, erected to defend a ford across the Elbe. In the 16th century the castle was converted to the Renaissance palace of Hartenfels. Within its walls the first Protestant church was consecrated by Luther in 1544 and the first German opera was staged in 1627. In 1810 Napoleon extended the town's defences and on April 25th, 1945, invading American and Soviet troops met and shook hands near Torgau, thus hastening the end of the Second World War.

Torgau, ville en apparence insignifiante, a pourtant joué durant des siècles un rôle capital dans l'histoire allemande. Le château de Hartenfels, édifice de style Renaissance, fut construit à partir d'un fort qui protégeait un gué de l'Elbe au Xe siècle. C'est ici que Luther et l'humaniste Melanchthon rédigèrent « l'Article de Torgau », base de la « Confession d'Augsbourg ». En 1810, Napoléon fit fortifier la ville. Le 25 april 1945, les troupes américaines et soviétiques se rencontraient près de Torgau. Le dénouement de la seconde guerre mondiale était proche.

Ein betrügerischer Goldmacher namens Johann Gottfried Böttger begründete den Weltruf der „Blauen Schwerter", dem Symbol des Meißner Porzellans. Ein Experiment zur Porzellanherstellung rettete seinen Kopf und verhalf August dem Starken durch das weiße Gold zu einer sprudelnden Geldquelle. Der geniale Herzog von Sachsen und König von Polen ließ 1710 auf der von Kurfürst Ernst und Herzog Albrecht 1471 erbauten Albrechtsburg, gleich neben dem von Kaiser Otto dem Großen angelegten Dom, die erste europäische Porzellanmanufaktur errichten.

Meissen porcelain is as delicate as its origins are strange. In the early 18th century a certain Johann Böttger, a dabbler in alchemy, proclaimed he had found the secret of making gold. The Prussians pursued him hot-foot around Saxony until he sought refuge with Augustus the Strong in Meissen. The Duke's idea of protection was to lock the unfortunate Böttger up until he discovered how to make porcelain. In 1709 Böttger finally produced the "white gold", Augustus became a rich man for life, and a year later Meissen became the home of Europe's first porcelain manufactory.

Meissen, berceau de la Saxe, est marquée par la physionomie de la ville moyenâgeuse, les créations de porcelaine les plus délicates et le paysage viticole de la vallée de l'Elbe. La vieille ville semble s'accrocher à la colline. En haut trône le château d'Albrechtsburg, bâtiment du gothique flamboyant, avec un tour d'escalier. Juste à côté, se dresse le dôme gothique imposant de l'extérieur, son intérieur est étroit, presque menu. L'autel provient de l'atelier de Lucas Cranach, la croix et le lustre de l'autel furent créés par Johann Joachim Kändler en porcelaine de Meissen.

SEN Albrechtsburg und Dom △ Große Appellationsstube ▽ August der Starke mit dem Porzellanerfinder Böttger 1707/08 △ Porzellan-Manufaktur Meissen ▽

Eines der berühmtesten Jagdschlösser August des Starken steht in Moritzburg. Die geschlossen symmetrische Schloss- und Parkanlage thront inmitten einer natürlichen Seen- und Teichlandschaft zwölf Kilometer von Dresden entfernt. Das herrliche barocke Schloss hat vier wuchtige Türme und eine Kapelle. Nicht nur dem Jagdvergnügen frönte König August, auch zahlreiche andere Festivitäten und Bälle fanden im Moritzburger Schloss statt. Davon künden die vier Prunksäle innerhalb des Hauses.

One of the most famous hunting castles of August the Strong is in Moritzburg. The compact symmetrical castle and park are enthroned in the midst of a natural landscape of lakes and ponds, twelve kilometres away from Dresden. The splendid baroque castle has four mighty towers and a chapel. King August did not just indulge in the pleasures of hunting; numerous festivities and balls also took place at Moritzburg. The four state-rooms inside the building are an indication of this.

L'un des plus célèbres châteaux de chasse d'Auguste le Fort se trouve à Moritzburg à 12 kilomètres de Dresde. Le château et le parc sont intégrés dans un paysage naturel de lacs et d'étangs. Le magnifique château baroque possède 4 tours imposantes et une chapelle. Le roi Auguste n'appréciait pas seulement les plaisirs de la chasse; le château de Moritzburg servait aussi de cadre à de nombreuses festivités et à des bals. Les salles d'apparat richement décorées de cette demeure en témoignent avec leurs plafonds en stuc doré et leurs lustres surchargés.

Maßgeblicher Bestandteil der Dresdner Stadtkulisse ist die Brühlsche Terrasse. Heinrich Graf Brühl, einflussreicher Premierminister August des III., erkannte die vortreffliche Lage seines Palais unmittelbar an der ehemaligen Befestigunganlage der Stadt. Er erbat sich die Mauern von seinem Kurfürsten, ließ sie mit Sand und Steinen aufschütten, baute eine kleine Brücke und konnte so direkt vom ersten Stock seines Hauses das erhöhte Terrain erreichen, wo er fortan mit seinen Gästen genüsslich lustwandelte.

The Brühl Terrace is one of the key elements of Dresden's townscape. Count Henry of Brühl, August III's influential prime minister, was quick to recognize the exquisite location of his palace directly adjacent to the former fortifications. He requested the walls from his elector, had them filled up with sand and stones, built a small bridge and thus could walk directly from the first floor of his residence to the raised area where he henceforth promenaded with his guests at his leisure.

La terrasse de Brühl est un élément important du panorama de Dresde. Le comte Henri de Brühl, premier ministre influent d'Auguste III s'étant aperçu de la situation particulière de son palais (très proche des anciennes fortifications de la ville) demanda à son prince-électeur l'autorisation de recouvrir les remparts de sable et de pierres. Il fit construire un petit pont reliant ce terrain surélevé au premier étage de son palais.

In der Zeit August des Starken und seines Sohnes August III. erlebte Dresden sein goldenes Zeitalter und entwickelte sich zu einer der schönsten Städte des Landes. August der Starke erwarb, allein um sein Ansehen zu vergrößern, die polnische Königskrone, und die Stadt rückte in den Rang einer europäischen Hauptstadt auf. Mit der Deutschen Wiedervereinigung 1990 wurde eine zweite Etappe des Wiederaufbaus eingeleitet. Dresden wird immer schöner, schon heute steht die Stadt an dritter Stelle in der Skala jener Orte, in denen die Deutschen am liebsten leben würden.

In the period of August the Strong and his son, August III, Dresden had its golden age and grew into one of the finest cities of the land. August the Strong acquired the Polish royal crown, just to increase his prestige, and the city advanced to a European capital. With reunification, a new stage of reconstruction was ushered in. Dresden is getting more and more beautiful. Today it is already the third most popular place Germans would like to retire to.

A l'époque d'Auguste le Fort et de son fils, Auguste III, Dresde vécut son âge d'or et devint une des plus belles villes d'Allemagne. Auguste le Fort acquit, pour accroître son prestige, la couronne royale polonaise et la ville avança au rang de capitale européenne. Avec la réunification en 1989, une seconde étape de reconstruction a débuté. Dresde s'embellit et aujourd'hui elle se situe au III° rang des villes que les allemands choisiraient pour leur retraite.

Architekten vom Mittelalter bis heute haben Dresdens Stadtbild geprägt. Vom 13. bis zum 15. Jahrhundert wuchs die ursprüngliche Stadt mit innerer und äußerer Befestigung, mit Wehrgängen, Zinnen, Türmen und Wassergräben. Im 16. Jahrhundert wurde die Stadt zur kurfürstlichen Residenz der albertinischen Linie der Wettiner ausgebaut. Die Stadtbefestigung wurde mit Sandsteinmauern und Bastionen erneuert. Zum Höhepunkt der glanzvollen Stadtgestaltung kam es zur Zeit des Barock, während Kurfürst Friedrich August I. ab 1694 mit Architektur Macht und Einfluss demonstrierte.

Architects from the Middle Ages to the present day have shaped the cityscape. The city grew enormously between the 13th and 15th centuries with inner and outer fortifications complete with battlements, towers and a moat. It became the royal residence of the Albertine branch of the Wettin dynasty in the 16th century. The city's fortifications were strengthened with sandstone walls and ramparts. It reached its glorious zenith in the Baroque era, when the Elector Friedrich August (August the Strong) used architecture to demonstrate his power and influence.

Du moyen âge à notre époque, maîtres d'œuvre et architectes ont dessiné la physionomie de Dresde. Entre les XIIIe et XVe siècles, la ville était entourée de deux enceintes avec des chemins de ronde, des créneaux, des tours et des douves. Au XVIe siècle, la ville devint la capitale de l'électorat des Albertiner, branche de la lignée des Wettiner. Des murs en grès et des bastions remplacèrent les anciennes fortifications. La ville connut son apogée architecturale à partir de 1694, à l'époque du baroque, durant le règne de Frédéric-Auguste Ier.

An der Stelle der ältesten baufällig gewordenen Kirche Dresdens „Unserer Lieben Frauen", die sich dort schon im 11. Jahhundert befand, wurde 1726 mit dem Bau der Frauenkirche begonnen. Der Ratszimmermeister George Bähr verwirklichte den Bau. Über vier Jahrzehnte erinnerte ihre spätere Ruine an die Schrecken des Krieges als Mahnmal. Am 22. Juni 2004 war es soweit: Die Turmhaube und das Turmkreuz der wiederaufgebauten Frauenkirche konnten zu ihrer Krönung aufgesetzt werden. Im Jahr 2005 wurde auch der Innenausbau fertiggestellt und damit die Kirche wiedereröffnet.

On 22nd June 2004 the day had come that the orb and cross of the tower of the restored Church of Our Lady could be put on as the crowning. For more than four decades, the ruins reminded you of the horrors of war and the commemoration of peace-loving people. The reconstruction through donations should represent a place of peace. In the year 2005 also the interior fittings were finished and thus came the reopening. On the site of the dilapidated church of "Our Beloved Ladies", which had already been there in the 11th century, construction of the Church of Our Lady began in 1726.

Le 22. juin 2004, l'église reconstruite grâce à des dons, était de nouveau coiffée de sa coupole couronnée d'une croix. Pendant des décennies, l'église en ruine avait rappelé les horreurs de la guerre, un monument exhortant les hommes à vivre en paix. La plus vieille église de Dresde à l'origine, bâtie au XIe siècle, fut remplacée à partir de 1726 par la Frauenkirche. Le célèbre George Bähr fut le maître d'œuvre de l'église. En l'année 2005 également les garnitures intérieures sont finies et ainsi rouvrir de l'église de femme.

Die Frauenkirche war damals nicht nur die Krönung der Stadtsilhouette Dresdens, sie war auch eine bauliche Meisterleistung und zählt zu den wichtigsten Werken europäischer Kultur- und Baugeschichte. Der Zentralbau auf einem quadratischen Grundriss unter einer gewaltigen Kuppel, auch „Steinerne Glocke" genannt, wurde 1743 vollendet. Der barocke Innenraum ist von beeindruckender Geschlossenheit, der Altarraum wird zum Kirchenraum mit einer zentralen Kanzel. Die Orgel, auf der J.S. Bach spielte, wurde leider vollständig zerstört, der Altar konnte aber aus ca. 2.000 Teilen rekonstruiert werden.

The central building on a quadratic ground plan under a formidable dome, also called the "Stone Bell", was completed in 1743. The church was not only the coronation of Dresden's silhouette, it was also an engineering master work and is one of the most important works of European culture and architectural history. The baroque interior is of an impressive closeness, the altar room becomes the church room with a central pulpit. The organ on which J.S. Bach once played was unfortunately destroyed completely, the altar could be reconstructed, however, from approximately 2,000 parts.

Le corps central du bâtiment, couronné d'une puissante coupole était achevé en 1743. L'église ne dominait pas seulement la physionomie de la ville, elle était également un chef-d'œuvre architectural et comptait parmi les plus importants édifices historiques d'Europe. Désormais restaurée, la Frauenkirche révèle un superbe aménagement intérieur de style baroque. L'orgue sur lequel Jean-Sébastien Bach jouait fut malheureusement entièrement détruit, mais l'autel put être reconstitué à partir de 2.000 éléments.

Dreimal wurde die Semperoper neu errichtet. Bei der feierlichen Wiedereröffnung am 13.2.1985 stand Webers „Freischütz" auf dem Programm, die Oper, die auch in der letzten Vorstellung vor der Zerstörung Dresdens gespielt worden war. Ausgiebig war zuvor diskutiert worden, ob und wie der prächtige Bau neu entstehen soll. Jetzt begrüßt den Besucher innen- wie außenarchitektonisch eine originalgetreue Rekonstruktion im Stil italienischer Hochrenaissance.

The Semper Opera was rebuilt three times. Weber's "Freischütz" was the work that marked the ceremonial reinauguration of 13.2.1985, the opera that was the last work performed before the destruction of Dresden. Prior to this there had been long deliberations about what form the reconstruction of the magnificent building should take. The result is a faithful interior and exterior reproduction in the style of the Italian high Renaissance.

L'Opéra Semper fut reconstruit trois fois. Pour la réouverture solennelle du 13 février 1985 le « Freischütz » de Weber était présenté au programme, opéra déjà joué lors de la dernière représentation avant la destruction de Dresde. La dernière restauration avait été précédée de longues discussions. L'architecture du bâtiment et son aménagement intérieur dans le style Renaissance italienne sont fidèles à l'original.

Über Jahrhunderte sammelten sächsische Herrscher kostbare und wunderliche Dinge aus Kunst und Technik. August der Starke gründete sogar ein Museum, das so genannte Grüne Gewölbe, das seit September 2004 wieder im Residenzschloss als Hauptanziehungspunkt für die Besucher Dresdens zu sehen ist. Dinglingers Hofstaat von Delhi am Geburtstag von Großmogul Aureng-Zeb, das Goldene Kaffeeservice für den König und der Mohr mit der Smaragdstufe sind nur einige wenige Beispiele für die ungeheuer funkelnde und glänzende Pracht, die einen in dieser außergewöhnlichen Sammlung empfängt.

For centuries, Saxon rulers collected both valuable and unusual artefacts from the fields of art and technology. August the Strong even founded a museum, the so-called Green Vault, which is again to be seen since September 2004, as a point of main attraction for the visitors in the Residenzschloss. Dinglinger's royal Delhi retinue on the birthday of Grand Mogul Aureng-Zeb, the Golden Coffee Service for the King and the Mohr with the emerald step are just a few examples of the sparkling display.

Pendant des siècles, les souverains saxons collectionnèrent des pièces précieuses et étonnantes du domaine des arts et de la technique. Auguste le Fort fonda même un musée nommé « Grünes Gewölbe » (la voûte verte), ce qui doit être vu à partir de septembre 2004, comme point d'attraction principale pour les visiteurs, encore dans le Residenzschloss. On peut y admirer des pièces étincelantes comme la scène d'anniversaire du Grand Moghul Aureng-Zeb, le service à café en or pour le roi et le Maure sur un socle d'émeraude.

Schloss Pillnitz vermittelt den Eindruck von fernöstlicher Zierlichkeit und Grazie. Nachdem Gräfin Cosel, ursprüngliche Besitzerin von Pillnitz, bei Hof in Ungnade gefallen war, baute Matthäus Daniel Pöppelmann auf Geheiß des Königs die Anlage zu einem Lustschloss für Park- und Wasserfeste um. Ein Chinoiserie-Bau schwebte ihm vor, er versah Berg- und Wasserpalais mit geschwungenen Dächern sowie zahlreichen Schornsteinen und ließ seine Außenwände mit märchenhaften Zeichnungen versehen. Im Garten wirkte Zacharias Longuelune und entwarf 1730 die Orangerie.

Pillnitz Palace gives the impression of Fareastern daintiness and grace. After Countess Cosel, the original owner, fell from grace at court, Matthäus Daniel Pöppelmann altered the building at the king's behest and made it into a pleasure palace for park and water festivities. He imagined a building in chinoiserie style, added curving roofs and countless chimneys and had the exterior walls decorated with fairytale drawings of people, animals and fareastern customs. Zacharias Longuelune was responsible for the development of the gardens and designed the orangery in 1730.

Le château de Pillnitz donne une impression de fragilité et de grâce extrême-orientales. Après que la comtesse Cosel, à l'origine propriétaire du château, fut tombée en disgrâce à la cour, Matthäus Daniel Pöppelmann transforma sur l'ordre du roi la demeure en un château d'agrément. Pour l'aménagement du parc, il s'inspira de la culture asiatique. Zacharias Longuelune dessina le jardin et l'orangerie en 1730. Actuellement un jardin botanique avec de nombreuses espèces est ouvert au public.

△ Glockenweihe für die Frauenkirche / Devote of the Bells / Consécration des cloches   △ Barockschloss Pillnitz, Lustschloss August des Starken (18. Jh.)

▽ Mozartbrunnen / Fountain / Fontaine   △ Pillnitz Palace / Château Pillnitz   ▽ Sachsenkrone / Saxonia Crown / Couronne des Saxe   ▽ Foyer Semperoper

Ähnlich vielbesucht wie der Basteifelsen ist die Festung Königstein. Sie befindet sich 240 Meter hoch über der Elbe auf einem Tafelfelsen und war im 17. und 18. Jahrhundert die stärkste Befestigungsanlage Deutschlands. Ein 152,47 Meter tiefer Brunnen, der erst 1563–69 gebaut wurde, garantierte eine hinreichende Wasserversorgung auf der Burg. Seit 1591 befand sich hier das sächsische Staatsgefängnis mit so prominenten Häftlingen wie dem Porzellanmacher Friedrich Böttger, Revolutionär Michail Bakunin, dem Dichter Frank Wedekind und SPD-Gründer August Bebel.

The fortress of Königstein is as popular a destination as the Basteifelsen. It is situated 240 metres above the Elbe on a plateau; in the 17th and 18th centuries it was the most strongly fortified installation in Germany. A 152 m deep well, not dug till 1563–69, guaranteed an adequate supply of water in the castle. From 1591 on the Saxon state prison was located here. It housed such prominent prisoners as the porcelain-maker Friedrich Böttger, the revolutionary Michail Bakunin, the poet Frank Wedekind and the founder of the SPD, August Bebel.

Outre le rocher du belvédère, la forteresse du Königstein attire tout autant les touristes. Elle surplombe l'Elbe à 240 m. Elle était déjà la forteresse la plus puissante d'Allemagne aux XVIIe et XVIIIe siècle. Un puits de 152,47 m. de profondeur, construit de 1563 à 1569, garantissait l'alimentation en eau. Depuis 1591, s'y trouvait la prison nationale de la Saxe, où séjournèrent comme détenus F. Böttger, inventeur de la porcelaine, le poète F. Wedekind, le révolutionnaire Bakunin et A. Bebel, fondateur du Parti Socialiste.

Hoch über dem Städtchen Rathen ragt der Basteifelsen empor. Er gehört zum ältesten Reservat der Sächsischen Schweiz. Hier befindet sich die steinerne Brücke von 1851, über die der Weg in schwindelnder Höhe zum 305 Meter hohen Aussichtsplateau führt. Zu Beginn des Jahrhunderts wurde in unmittelbarer Nachbarschaft die mittelalterliche Felsenburg Neurathen wiederentdeckt. Über Rathen erreicht man auch die allgemein bekannte Felsenbühne, ein Naturtheater, in dem unter freiem Himmel lustige Operetten und spannende Indianer- und Märchenstücke aufgeführt werden.

The Basteifelsen (Bastion Rock) towers up, high above the little town of Rathen. It is part of the oldest nature reserve in the Saechsische Schweiz. The stone bridge of 1851 leads across at a dizzy height to the 305 m high viewing plateau. At the beginning of the century, the medieval rock castle of Neurathen was rediscovered close by. The well-known open-air theatre in the rocks can be reached via Rathen. It is the setting for open-air performances of amusing operettas and exciting Red Indian plays and fairytales.

Le rocher du belvédère est perché au-dessus de la petite ville de Rathen. Il appartient à la plus ancienne réserve de la Suisse saxonne. Par le pont en pierre de 1851, un sentier conduit, à hauteur vertigineuse, à un plateau de 305 m. de hauteur. Le château moyenâgeux de Neurathen fut redécouvert au début du siècle dans les environs immédiats. A partir de Rathen, on atteint aussi un théâtre, taillé à même le rocher, où sont interprétés, en plein air, des opérettes comiques, des jeux d'indiens excitants et des féeries.

Auf dem 516 m hohen Schellenberg, von allen Richtungen weit sichtbar, steht der mächtige Renaissancebau der Augustusburg, der für den obersächsischen Raum und das Erzgebirge eine exponierte Stellung einnimmt. In dieser wild- und waldreichen Gegend ließ sich der Kurfürst August I. an der Stelle der durch Brand zerstörten Schellenburg ein mächtiges Jagdschloss errichten. Die 1572 geweihte Schlosskapelle ist die größte und im Raumtypus die vollkommenste protestantische Schlosskirche Sachsens. Der Altar zeigt ein Wandgemälde mit der Familie des Kurfürsten von Lucas Cranach der Jüngere.

On the 516 m Schellenberg Mountain, visible from afar in all directions, the mighty Renaissance building of the Augustus Castle stands alone and takes up an exposed position of Upper Saxon space and the Erz Mountains. It was here that Elector August I had a mighty hunting lodge erected for the Wettins at the point at which the Schellenberg Castle had been destroyed by fire in this wild and densely wooded area. Hieronymus Lotter was the architect. The castle chapel, opened in 1572, is the biggest and, with respect to the room type, most complete protestant castle church in Saxony.

Visible de loin, l'imposant château de style Renaissance se dresse sur le mont Schellenberg qui, avec une hauteur de 516 m, domine cette partie de la Haute-Saxe et le Erzgebirge. Dans cette région verdoyante et giboyeuse, le prince-électeur August 1er fit construire l'Augustusburg, à l'origine château de chasse, après qu'un incendie eut ravagé le Schellenburg. La chapelle, consacrée en 1572, est la plus grande et, par son architecture, la plus accomplie des églises protestantes de château de Saxe. L'autel est décoré d'une fresque montrant la famille du prince-électeur, réalisée par L. Cranach le Jeune.

Der Fluss Zschopau entspringt am Nordhang des Fichtelgebirges und mündet unweit von Döbeln im Fluss Freiberger Mulde. Malerisch schlängelt er sich durch das Erzgebirge und erreicht jenseits von Frankenberg das Mittelsächsische Hügelland. Kurz vor Waldheim erhebt sich im enggebeugten Knie des Flusses auf trutzigem Fels die gotische Anlage von Burg Kriebstein (um 1400). Wie ein Sporn ragt sie von einem steilen Felsen empor. Von besonderem Ruf sind die vornehmen Wandmalereien der Burgkapelle und die des Kriebsteinzimmers.

The River Zschopau rises on the northern escarpment of the Fichtelgebirge and flows into the Freiberg Mulde not far from Döbeln. It meanders its way picturesquely through the Erzgebirge and beyond Frankenberg flows into the hills of central Saxony. Just shortly before Waldheim, Burg Kriebstein, a Gothic castle dating from about 1400, rises up on a formidable rock above a sharp bend in the river. It towers from a steep rock like a spur. The grand wall paintings of the castle chapel and the Kriebstein room are particularly well-known.

La rivière Zschopau prend sa source sur le versant Nord du Fichtelgebirge et entre près de Döbeln dans la dépression dite Freiberger Mulde. Elle sillonne pittoresquement les Monts Métallifères avant d'atteindre, au-delà de Frankenberg, les collines de la Moyenne-Saxe. Juste avant Waldheim, le château gothique de Kriebstein, construit vers 1400, se dresse sur un formidable éperon rocheux qui domine un coude du cours d'eau. La chapelle et la salle appelée Kriebsteinzimmer sont décorées de très belles fresques.

Chemnitz ist die drittgrößte sächsische Stadt und liegt am Fuße des Erzgebirges. Die Stadt hat sich in den letzten Jahren weit über das gleichnamige Flusstal hinaus ausgebreitet. Die Chemnitzer Oper (1909) zählt heute zu einer der modernsten Bühnen Deutschlands. Die städtische Kunstsammlung und die 850-jährige Stadtgeschichte werden eindrucksvoll präsentiert. Der Rote Turm (12. Jahrhundert) am Neumarkt ist das älteste erhaltene Bauwerk in Chemnitz und wurde mit der stilvollen Architektur eines Einkaufs- und Erlebnispalastes umgeben.

Chemnitz, the third largest town in the state of Saxony, lies at the foot of the Erzgebirge mountains. In recent years the town has expanded far beyond the boundaries of the valley of the River Chemnitz. The Opera House (1909) is one of the most modern theatres in all Germany. The municipal art collection and the 850-year-old history of the town are presented in impressive settings. The Red Tower (12th century) is the oldest building in Chemnitz and is now surrounded by the stylish architecture of the shopping and entertainment centre.

La troisième ville de Saxe s'étend au pied de la chaîne de l'Erzgebirge. Au cours des dernières années, Chemnitz s'est agrandie bien au-delà des limites de la vallée fluviale éponyme. L'Opéra de Chemnitz (1909) est réputé pour la modernité de ses installations. Les 850 années d'histoire de la ville sont évoquées au musée municipal qui abrite des collections d'art remarquables. Au Neumarkt, un complexe commercial d'architecture contemporaine entoure le Rote Turm (Tour rouge) du XIIe siècle, qui est le plus ancien monument de Chemnitz.

Für den Gütertransport in bergigen Regionen konnte man mit den schweren „Dampfrossen" nichts anfangen und so bekamen diese einen kleinen Bruder – die Schmalspurbahn. Viele verkehren heute noch nach Fahrplan. – Im Winter verwandelt sich die Region in ein zauberhaftes Weihnachtsland, überall werden holzgeschnitzte Engel, Nussknacker, Räuchermännchen oder Pyramiden feilgeboten, die sich in heißer Kerzenluft leise drehen. Gleichermaßen wird die Kunst des Klöppelns und der Spitzenherstellung gepflegt. Spielzeugindustrie und traditionelles Handwerk haben entschieden an Stellenwert gewonnen.

For the goods transport in mining in the mountainous regions, the heavy "steam steeds" were of little use and so these were given a "little brother" – the narrow-gauge railways, of which many run today still according to schedule. – In the winter the region is transformed into a magical Christmas landscape; carved wooden angels, nutcrackers, smokers and pyramids that turn gently in the hot air produced by candles are on offer everywhere. The art of lace-making is carefully preserved, too. The toy-manufacturing industry and traditional craftwork have greatly increased in importance.

On ne pouvait utiliser les lourdes locomotives à vapeur pour le transport minier dans cette région trop montagneuse. C'est ainsi que fut créé un chemin de fer à voix étroite qui sillonne encore aujourd'hui le Erzbebirge. – En hiver, la région se transforme en une magnifique féerie de Noël, avec ses anges sculptés dans le bois, ses casse-noisettes, ses bonhommes à fumée et ses pyramides qui pivotent doucement à la chaleur des bougies. L'art de la dentelle à la main et aux fuseaux y est cultivé à même enseigne. L'industrie du jouet et l'artisanat traditionnel ont acquis de la valeur.

Die Entwicklung des Handwerks, der Baukunst und die nahen Erz- und Silberfunde veredelten Zwickau bald zur „Perle Kursachsens". Dem Vermächtnis ihrer großen Söhne Robert Schumann (1810–56) und Max Pechstein (1881–1955) fühlt sich die Stadt besonders verpflichtet. Unten links das Gewandhaus und das neugotische Rathaus. Seit über 100 Jahren ist Zwickau in der Automobilindustrie ein wichtiger Arbeitgeber und lässt so einiges vom „Stapel", was sich Volkswagen nennt. Hier wurde auch ab 1958 das DDR-Auto Trabant hergestellt, im Volksmund „Trabi" oder „Rennpappe" genannt.

The development of craftwork, architecture and the nearby ore and silver finds enabled Zwickau to become the "Pearl of Electoral Saxony". The city feels itself particularly obligated to the legacy of its great sons Robert Schumann (1810–56) and Max Pechstein (1881–1955). The picture down left shows the Gewandhaus and the new-Gothic Town Hall. For over 100 years, Zwickau has been an important employer in the car industry and lets something roll off the belts called of Volkswagen. From 1958 on what became to be known by the people as the "racing cardboard" or Trabi, the Trabant, was built there.

Zwickau est la quatrième ville du Land de Saxe après Dresde, Leipzig et Chemitz. La ville fut baptisée « perle de l'électorat de Saxe » grâce au développement de l'artisanat, à ses architectures, et aux gisements de minerai et d'argent qui apportèrent la prospérité. Le compositeur Robert Schumann (1810–56) et le peintre Max Pechstein (1881–1955) sont natifs de Zwickau. L'image en bas à gauche montre l'édifice dit Gewandhaus et l'hôtel de ville néogothique. Depuis plus de 100 ans, Zwickau occupe une place importante dans l'industrie automobile, travaillant en autres pour Volkswagen.

Wechselvoll ist die Geschichte der Stadt Gera, die von 1547 bis 1806 als Lehen den Königen von Böhmen untertan war. Danach wurde sie infolge der napoleonischen Kriege Residenz des winzigen Fürstentums Reuß. – Die richtige Optik verstellt nicht den Blick darauf, dass in der Saalestadt Jena unterhalb der Kernberge dereinst Geist und Unternehmertum eine fruchtbare Symbiose eingingen. Schiller lehrte an der Universität und Goethe schrieb hier sein „Märchen". Der Mechaniker Carl Zeiss und der Optiker Ernst Abbe führten die optischen Geräte der Firma Carl Zeiss zu Weltruhm.

The ancient city of Gera has had a turbulent history. It came under the jurisdiction of the kings of Bohemia from 1547 to 1806, during which time refugee Protestants from the Netherlands started the textile industry that made Gera prosperous. – Jena was the home of many distinguished literary and scientific figures. Both Schiller and Goethe lived and worked here. In 1846 Carl Zeiss and his assistant Ernst Abbe founded the firm of Zeiss, world-famous for high-precision optical instruments. The first Zeiss planetarium, dating from 1925, can still be seen in Jena.

La ville de Gera a également connu une histoire mouvementée. Elle fut un fief des rois de Bohème de 1547 à 1806. Plus tard, après les guerres napoléoniennes, elle devint la capitale de la minuscule principauté de Reuss. Jadis, la pensée et l'esprit d'initiative formaient une symbiose fructueuse dans la ville de Jena sur la Saale, située au pied du massif Kernberge. Le poète Schiller enseigna à l'université. Goethe écrivit ses «Contes» à Jena. Grâce au mécanicien Carl Zeiss et à l'opticien Abbe, les appareils d'optique de la firme Carl Zeiss acquirent une réputation mondiale.

△ Weimar, Innenstadt mit Schloss

△ Marktplatz mit Lucas-Cranach-Haus

△ Nationaltheater mit Goethe-Schiller-Denkmal   ▽ Schillerhaus

▽ Goethe Haus am Frauenplan   △ Anna-Amalia-Bibliothek

„Oh Weimar, dir fiel ein besonder Los ..." besang schon Goethe einst die heutige Klassikerstadt. Die Herzogin Anna Amalia hatte den Aufklärer Wieland an den Hof geholt, der ihren Sohn Carl August im Sinne der Aufklärung erzog. Später folgten Goethe, Herder und Schiller. Diese vier führten die deutsche Literatur zur Höhe der Klassik. – „Bilderbuch der deutschen Geschichte", nannte Arnold Zweig die Stadt Erfurt. Im Mittelalter wurde es als „Erfordia turrita" – das „turmgekrönte Erfurt" – bezeichnet. Zeitweise besaß die Stadt, die im Jahre 742 n. Chr. gegründet wurde, 36 Pfarrkirchen und 15 Klöster.

Weimar has played a crucial role in the history of German literature, indeed of German culture. An illustrious quartet of intellectuals, Goethe, Schiller, Herder and Wieland, the pillars of classical German literature, lived and worked in Weimar; Luther, J.S. Bach and Liszt are just a few of the other famous names connected with the city. – "A picture-book of German history" is how the author Arnold Zweig described the city of Erfurt. Founded around a small farming community by the great English bishop and missionary St Boniface in 742, the new diocese of Erfurt rapidly rose to power in the Middle Ages.

Goethe chanta la destinée particulière réservée à Weimar, la ville des grands classiques. La grande-duchesse Anna Amélia fit venir à sa cour « l'Aufklärer » Wieland, car elle désirait que son fils Charles-Auguste soit éduqué dans la philosophie des lumières ou « Aufklärung ». Goethe, Herder et Schiller vinrent plus tard le rejoindre. Ces quatre grands écrivains conduisirent la littérature allemande à l'apogée du classicisme. – L'écrivain Arnold Zweig a appelé Erfurt: « Le livre d'images de l'histoire allemande ». Au moyen-âge, on la nommait « Erfordia turrita » -Erfurt couronnée de tours.

Aristokraten überkommt ein besonderes Gefühl, wenn der Name „Gotha" ins Spiel gebracht wird, denn ein Eintrag in das gleichnamige Register gilt als Bestätigung ihrer Blaublütigkeit. Das Rathaus, ursprünglich ein Kaufhaus, diente Herzog Ernst dem Frommen vorübergehend als Residenz, ehe 1655 Schloss Friedenstein fertiggestellt wurde. – Die Wartburg ist die Burg der Deutschen schlechthin. In der Dichtkunst erlebte sie ihre Glanzzeit unter Hermann I., welcher an seinem Hof Berühmtheiten der Minne, wie Walther von der Vogelweide und Wolfram von Eschenbach, versammelte.

The ancient families of Germany feel a special affinity with the town of Gotha, for an entry in the Gotha Register is a guarantee that you are a true blue-blooded aristocrat. The Town Hall served the Duke of Saxe-Gotha as a temporary residence until his Baroque palace of Friedenstein was completed in 1655. – The 11th century Wartburg is the archetypal German castle, rich in history and legend and with more visitors than almost any other castle in Germany. It was here that medieval minnesingers like Walther von der Vogelweide and Wolfram von Eschenbach met.

La ville de Gotha a une signification très particulière pour les aristocrates: une inscription dans le registre du même nom est la preuve indubitable de leur sang bleu. L'hôtel de ville, ancien établissement de commerce, servit de résidence provisoire au duc Ernst le Pieux jusqu'à la terminaison de la construction du château de Friedenstein en 1655. – « Wartberg, tu porteras mon château ». Selon la légende, c'est avec ces mots que Louis de Thuringe commença la construction vers 1180 du plus célèbre fort de l'histoire allemande que le poète Ludwig Bechstein nomma: « une chronique gravée dans la pierre ».

Thüringen kann man nicht „besichtigen", man kann es erwandern. Das Thüringer Land heißt daher auch das „Grüne Herz Deutschlands". Das Thüringer Becken mit seinen Flüssen und dem Thüringer Wald ist die Landschaft zwischen dem nördlichen Eichsfeld, der Werra und Rhön und Teilen des Frankenwaldes, im Osten das Vogtland, und auch der Harz und die Unstrut gehören dazu. Eine Totale der Mannigfaltigkeit, beschrieben und bewundert in langen Zeiträumen, wie auch Goethe es getan hat.

You cannot visit Thuringia, says a travel guide, you can only walk it. Thuringia is because of that also called the green heart of Germany. Here we can look over the rivers of the Thuringian basin and survey the Thuringian forest, which includes Eichsfeld in the north, the rivers Werra and Unstrut, the Rhön and Vogtland in the east and parts of the Harz and Frankenwald, too. Here lies Thuringia in all its multifarious aspects, described and admired by so many writers over the course of centuries.

La Thuringe ne se « visite » pas, elle se « parcourt », peut-on lire dans un guide de ce Land situé à l'Est de l'Allemagne. La Thuringe et si l'on grimpe en haut de son donjon, on découvrira un panorama immense sur le Land surnommé le « poumon vert de l'Allemagne ». Il englobe le bassin de Thuringe parsemé de cours d'eau et le « Thüringer Wald » (Forêt de Thuringe). Une région qui s'étire entre les terroirs de l'Eichsfeld au Nord, les rivières Werra et Unstrut, les régions de la Rhön et du Vogtland à l'Est et qui comprend aussi des parties du Frankenwald et de l'Harz.

Die 250 Meter lange Kaskadentreppe (885 Stufen), überragt von einem Oktogon mit überdimensionaler, über neun Meter hohen, Herkules-Figur, endet am sehr dekorativen Neptunsbrunnen. Die Fortsetzung war bis zum Schlossteich mit der barocken Wasserkunst gedacht, abschließende Kulisse die hintere Schlossfassade. Vollendet wurde nur ein Drittel der Konzeption. Das barocke Gesamtkunstwerk ist ohne Beispiel für die Demonstration des harmonischen Zusammenspiels von Architektur und gestalteter Landschaft.

Wilhelmshöhe palace is famous not only for its collection of paintings by Rembrandt but also for the extraordinary creation in Wilhelmshöhe park. At the top is a palace surmounted by a pointed column with a huge statue of Hercules, over nine metres high. Below, the waters of the cascade emerge from the mouth of the giant vanquished by Hercules and tumble down 250 metres over 885 steps. At the foot there is a decorative Neptune fountain. The project was never completed but is nevertheless an example of Baroque landscape gardening unrivalled in Europe.

La cascade longue de 250 mètres qui forme un escalier géant de 885 marches est dominée par un octogone couronné d'un Hercule Farnèse de plus de neuf mètres de hauteur et se termine à la très jolie fontaine de Neptune. L'ensemble aurait dû être aménagé jusqu'à l'étang du château pour former une coulisse grandiose à la façade arrière du château. Seulement un tiers du concept fut réalisé. L'œuvre d'art baroque démontre toutefois à la perfection l'harmonie qui peut exister entre l'architecture et la nature.

Im Jahr 9 nach Christus haben römische Truppen weite Gebiete Germaniens besetzt. Die Germanen locken das römische Heer in einen Hinterhalt. Drahtzieher ist der Cherusker und römische Offizier Arminius. Drei Legionen werden niedergemetzelt – mehr als 10.000 Menschen finden den Tod. Benannt nach dem Heerführer Publius Quinctilius Varus, geht diese Niederlage als „Varusschlacht" in die Geschichte ein. Die Varusschlacht im Osnabrücker Land ist heute ein international beachteter Ort der Forschung, das zeigt eine außergewöhnliche Ausstellung im Museum und Park Kalkriese.

By the year 9 A.D., Roman troops were occupying large areas of Germania. The Germanic tribes lured the Roman army into an ambush in a plan masterminded by the Roman Officer Arminius, who was a Cheruscan. Over 10,000 people died in the battle, with three Roman legions being slaughtered. The defeat has gone down in history as the Battle of Varus after the commander-in-chief, Publius Quinctilius Varus. The site of the Battle of Teutoburg in Kalkriese is now internationally recognized as one of Europe's most important archaeological locations.

En l'an 9 après Jésus-Christ, les Romains occupent de vastes régions de la Germanie. Les Germains vont attirer l'armée romaine dans une embuscade. Trois légions romaines périssent dans cet affrontement – plus de 10 000 hommes tomberont au combat. Nommée d'après le général romain vaincu Publius Quinctilius Varus, cette bataille est appelée le « massacre de Varus » dans l'histoire allemande. Le champ de bataille de Kalkriese, situé près d'Osnabrück, est aujourd'hui un lieu archéologique mondialement connu. Le exposition en la musée et le parc de Kalkriese captivante retrace le unique l'événement.

Für den Platz bei Barkhausen, an dem der Weserstrom den Höhenzug von Wiehengebirge und Weserbergland durchstößt, haben Gelehrte um 1800 den Namen Porta Westfalica, westfälische Pforte, geprägt. Den Berg, der sich an dieser Stelle über der Weser erhebt, bringt die Sage als „Wittekindsberg" mit dem sächsischen Heerführer Widukind in Verbindung. Zu Ehren des 1888 verstorbenen Kaisers Wilhelm I. ließ die westfälische Provinzialregierung auf dem Wittekindsberg 1892–1896 ein 88 Meter hohes Denkmal errichten.

Here, near Barkhausen, we see the point at which the River Weser breaks through the heights of the Wiehen mountains and the Weser plateau. In about 1800, scholars christened this spot the Porta Westfalica, the gateway to Westphalia. Legend relates that the distinctive peak above the Weser is named Wittekindsberg, which implies a direct connection with the Saxon army commander Widukind. The Westphalian provincial government erected an 88-metre high memorial here between 1892 and 1896, in honour of Kaiser Wilhem I who had died in 1888.

Les érudits ont attribué vers 1800 le nom de Porta Westfalica, Porte de Westphalie, à l'endroit près de Barkhausen où la Weser a fait une trouée dans les monts du Weser et du Wiehengebirge. Selon la légende, il faudrait faire le lien entre le nom du mont dressé au-dessus de la Weser « Wittekindsberg » et celui du chef militaire saxon Widukind. En hommage à l'empereur Guillaume Ier, mort en 1888, le gouvernement régional de Westphalie a érigé de 1892 à 1896 un mémorial de 88 mètres de haut au sommet du Wittekindsberg.

Hameln, mitten im weiten Talkessel der Weser liegend, war schon immer ein bedeutender Verkehrsknotenpunkt und hat deswegen Industrie und Gewerbe mühelos angezogen. Der Rattenfänger von Hameln soll der Sage nach die Stadt von einer Rattenplage befreit haben, indem er sie mit seinem Flötenspiel aus der Stadt herauslockte. – Im Mittelalter hatte die bedeutende Hansestadt Münster gerade mal 9.000 Einwohner, dennoch bildete sie ein wichtiges geistiges und kulturelles Zentrum. 793 wurde der St.-Paulus-Dom Mittelpunkt der entstehenden Stadt.

Hameln is situated in the middle of the broad valley of the Weser. Standing at the crossroads of important traffic routes, the town has never found any difficulty in attracting trade and commerce. The Pied Piper of Hamlin (Hameln) is said to have freed the town from a plague of rats by making them follow his flute. – In the Middle Ages, this significant Hanseatic city had a population of just 9000 but nevertheless represented a very important intellectual and cultural centre. Charlemagne had the settlement on the evangelised. In 793 already, the St. Paul's Cathedral became the focal point of the emerging town.

Hameln qui s'étend dans la vaste vallée encaissée du Weser a toujours été une plaque-tournante de communications. L'industrie de constructions èlectriques et de machines y est surtout représentée aujourd'hui. Selon la légende, le Charmeur de rats de Hameln aurait délivré Hameln envahie par les rats en les attirant hors de la ville grâce à la musique de sa flûte. – Charlemagne envoya des missionnaires dans la petite localité sur l'Aa qui, dès 793, fut dominée par la cathédrale Saint-Paul. Au moyen âge, la ville n'avait que 9000 habitants, mais était déjà un centre spirituel et culturel important et allait devenir une cité hanséatique prospère.

„Ad Sanctos" hieß die Stelle, wo die Märtyrer be-graben waren. Der Volksmund machte daraus „Xanten". Die Stadt war freilich älter als ihr Name, zur Zeit der Römer hieß sie noch „Colonia Ulpia Traiana". Heute wird das römische Xanten nach und nach ausgegraben und im „Archäologischen Park" der Nachwelt vorgestellt. Einzigartig ist die fast vollständig dokumentierte Baugeschichte des Domes St. Viktor. 1263 legte Friedrich von Hochstaden den Grundstein für den gewaltigen romanisch-gotischen Bau, der sich weit über der niederrheinischen Landschaft erheben sollte.

The Romans established an important settle-ment here which they called "Colonia Ulpia Traiana". Today more and more of the ancient Roman ruins are being excavated and presented to the public in the Archaeological Park. The almost completely documented history of the construction of the Cathedral of St. Victor is unique. In 1263, Friedrich von Hochstaden laid the foundation stone for the colossal Roma-nesque-gothic structure which rises far above the landscape of the Lower Rhine.

L'endroit où les martyrs étaient enterrés s'appe-lait « Ad Sanctos » qui devint Xanten dans la lan-gue populaire. La ville est plus ancienne que son nom puisqu'elle se nommait « Colonia Ulpia Trajana » du temps des Romains. Aujourd'hui, la Xanten romaine est peu à peu extirpée de la terre et exposée dans le parc archéologique. L'histoire de la construction de la cathédrale St. Victor est unique car elle est quasiment entière-ment documentée. En 1263, Frédéric de Hochstaden pierre de cette construction romano-gothique imposante, qui s'élèvera bien au-delà du paysage de Basse-Rhénainie.

Was am Niederrhein und im Ruhrgebiet geschaffen wird, muss verkauft und verwaltet werden. So gelangte Düsseldorf an seinen Ruf, der „Schreibtisch des Ruhrgebietes" zu sein. Nicht Fertigungshallen, sondern Glaspaläste dominieren das Bild dieser Stadt, die schon im 13. Jahrhundert kein Dorf mehr an der Düssel war. Düsseldorf ist zugleich auch das Tor zum Bergischen Land, welches weniger so heißt, weil es gebirgig ist, sondern weil dort einst die Grafen zu Berge herrschten.

Düsseldorf is the capital of North-Rhine-Westphalia, the Federal Republic of Germany's most populous state. There is little industry here and Düsseldorf's role as a major banking, marketing and administrative centre has earned it the nickname "the writing-desk of the Ruhr District". High-rise office blocks dominate the skyline. This city on the River Düssel was granted its town charter in the 13th century. It lies on the edge of a hilly region known as the "Bergisches Land", which once belonged to the Counts of Berg.

Ce qui est produit dans le Bas-Rhin et dans le bassin de la Ruhr, doit être vendu et géré quelque part. C'est ainsi que Düsseldorf a acquis la réputation d'être le « bureau » de la Ruhr. Des palais de verre et non pas des usines forment la physionomie de la ville qui était déjà une grosse bourgade sur la Düssel au XIIIe siècle. La capitale du « Land » Rhénanie du Nord-Westphalie est aussi la porte d'entrée du « Bergisches Land », une magnifique région boisée qui doit son nom aux comtes de Berg.

Der populäre Kurfürst Johann Wilhelm von der Pfalz, in Düsseldorf „Jan Wellem" genannt, thront hoch zu Ross vor dem Rathaus. Den Anspruch auf höfische Rokoko-Pracht vermittelt heute noch das Schloss von Benrath im Süden der Stadt. Älter – und vielleicht auch eindrucksvoller – sind die Reste der um 1180 neu erbauten Kaiserpfalz von Barbarossa im nahen Kaiserswerth. Wer mit dem Flugzeug anreist und aufpasst, sieht sie vielleicht aus der Luft, denn gleich nebenan liegt der Flughafen der Stadt.

Jan Wellem is the local nickname of the popular Elector Palatine Johann Wilhelm, who figures on the imposing equestrian statue in front of the Town Hall. Aspirations of sophisticated Rococo splendour are also evident in Schloss Benrath, in the south of Düsseldorf. The ruined palace of Emperor Barbarossa in nearby Kaiserswerth, dating from 1180, is even older and perhaps even more impressive. It is located beside Düsseldorf airport, so that observant visitors who arrive by plane may be lucky enough to spot it from the air.

Le plus populaire d'entre eux trône fièrement sur un cheval au milieu du quartier de la Vieille Ville : le prince-électeur Jean-Guillaume, appelé familièrement « Jan Wellem ». Le château de Benrath situé au sud de la ville, rappelle encore aujourd'hui la splendeur de l'époque baroque. Plus anciennes et plus impressionnantes, sont les ruines du palais impérial de Barberousse, construit vers 1180 dans la localité voisine de Kaiserswerth.

Die 5,2 Millionen Menschen, die hier im Ruhrgebiet leben, gehören zu einem ganz besonderen Menschenschlag. Sie eint nicht so sehr die Geschichte der germanischen Stämme, die vor Christus in dem Gebiet siedelten. Oder die der Römer, die vom Rhein her Richtung Ruhr und Lippe entlang nach Osten drängten. Nein, es ist die Geschichte der Industrialisierung, die des Bergbaus, aber auch die Zeit des Umbruchs, des Neubeginns in den letzten Jahrzehnten mit der Modernisierung der Städte und der Verbesserung der Umwelt , sowie der Lebensbedingungen, die verbindet.

The 5.2 million residents of this area are a very special type of people. They are united neither by their heritage from old Germanic tribes who settled in this area in pre-Christian times, nor by the Roman invaders who drove their forces from the Rhine along the Ruhr and the Lippe towards the East. No, their common in heritance is that of the Industrial Revolution and the mining industry and, into our own time, the recent decades devoted to restructuring, modernisation of towns and improvement of the environment and quality of life for the region's vast population.

Les 5,2 millions d'habitants de la région de la Ruhr appartiennent à une souche d'hommes unique. Ses racines ne remontent pas aux tribus germaniques qui se sont établies sur ce territoire avant l'ère chrétienne ou aux Romains qui ont colonisé la région du Rhin, les vallées de la Ruhr et de la Lippe lors de leur marche vers l'Est. L'histoire de cette souche d'hommes est celle de l'industrialisation, de la découverte de la houille, des bouleversements économiques et finalement du renouveau au cours des dernières décennies avec la modernisation des villes, l'amélioration de l'environnement et des conditions de vie.

Zwischen dem Ruhrgebiet und der Rhein-schiene gelegen, ist das Bergische Land ein Begriff, der auch außerhalb der Region bekannt ist. Aus europäischem Blickwinkel bemüht sich das Städtedreieck Remscheid, Solingen und Wuppertal um ein internationales Profil. Die unübertroffene Lebensqualität im Grünen mit langer Tradition gilt es noch deutlicher zu machen. Den Menschen im Bergischen Land sind in der handelnden Phantasie keine Grenzen gesetzt, denn Fleiß und Tüftlergeist haben schon immer die Städte im Bergischen groß gemacht!

Between the Ruhr Valley on the one side and the Rhine Ridge on the other, the Bergisch Land is also well known outside the region. The trian-gle formed by the cities of Remscheid, Solingen and Wuppertal in the Bergisch Land is trying to obtain an international profile in European terms, with emphasis on its regional specifica-tion. The unsurmountable quality of life in the green countryside cannot be emphasised enough. The people of the Bergisch Land have no limits set on their creative imagination; industry and the inventive mind have always contributed to the greatness of the Bergisch cities!

S'étendant entre le Bassin de la Ruhr et le Rhin, la région du Bergische Land est connue au-delà des frontières du pays. Le regard tourné vers l'Europe, les trois villes Remscheid, Solingen et Wuppertal sont en train de se façonner un profil international, tout en conservant leur régiona-lisme. Il s'agit plus que jamais de faire valoir la qualité de vie exceptionnelle, existant depuis longtemps, dans cette contrée verdoyante. Les habitants du Bergische Land ne connaissent pas de limites quand ils utilisent leur imagination ; travailleurs et entreprenants, ils ont depuis toujours apporté la prospérité à leurs villes.

△ Bergneustadt-Wiedenest   ▽ Burg Homberg in Nümbrecht   △ Schloss Burg an der Wupper   ▽ Bergische Kaffeetafel

Die Köln-Chronik beginnt mit ihrer 450-jährigen römischen Vergangenheit. Aus Colonia wurde seinerzeit die mächtigste Stadt nördlich der Alpen. Bis heute prägte sie das Stadtbild und die seit Generationen hier lebenden Menschen. Im Mittelalter war Köln Freie Reichsstadt und hinterließ uns Reste der mächtigen Stadtmauer sowie die berühmten romanischen Kirchen, doch vor allem den gotischen Dom als Weltkulturerbe. 1945 schlug der Kölner Archäologie eine Sternstunde für zahlreiche Ausgrabungen des römischen Köln. Die unterirdische Stadt übt eine magische Faszination aus.

The chronicle begins with Cologne's 450-year Roman past. The townscape and the people have been shaped by it right up to the present day. In the Middle Ages, Cologne was a Free Imperial City. Its heritage: remains of the massive city walls, the famous Romanesque churches, and first and foremost the world-famous Cathedral, now a World Cultural Heritage site. After 1945, archaeology in Cologne had its heyday. Excavations unearthed large parts of the old Roman city. The underground world that came to light has been a source of magical fascination ever since.

L'histoire de Cologne commence avec son passé romain qui dura 450 ans. Jusqu' aujourd'hui, ce passé marque la physionomie de la ville et la vie des Colonais de vieille souche. Cologne était une ville libre d'Empire au moyen-âge. De cette époque datent les vestiges des puissantes fortifications qui entouraient la cité, les célèbres églises romanes et surtout la cathédrale, le « Dom de Cologne » qui fait partie du patrimoine mondial. A partir de 1945, Cologne appartint aux archéologues dont les fouilles mirent au jour la Cologne romaine. La ville enfouie pendant des siècles dans le sol colonais exerce depuis une

Besonderen Reiz bietet die Altstadt mit ihrem historischen Rathaus und dem historischen Saalbau Gürzenich, der „Guten Stube" Kölns, der Kirche Groß-St.-Martin sowie dem neuen Wallraf-Richartz-Museum am Rathausplatz. Romantisches Flair vermitteln alte Häuser und enge Gassen. Das moderne Köln wurde zum Eldorado der Medien. Verkehrsknotenpunkt von altersher, locken seine großzügigen Einkaufsmeilen Besucher von nah und fern. Zahlreiche Museen und Kunstausstellungen, Theater und Philharmonie machen Köln zu einer Kulturmetropole von internationalem Rang.

The historic City Hall and the Guerzenich building are two of the chief attractions in the Old City, alongside Great St Martin's church and the new Wallraf-Richartz Museum on City Hall Square. The old buildings and narrow lanes are full of romantic atmosphere. Contemporary Cologne is the media's eldorado. A transport hub from time immemorial, the city now draws visitors from far and wide to its expansive shopping precincts. Countless museums and art exhibitions have made Cologne a cultural centre of international rank, along with its music and theatre scene with the Philharmonic Hall as its impressive showpiece.

fascination magique. La vieille-ville est particulièrement pittoresque. Elle abrite, entre autres, le magnifique Ancien Hôtel de Ville, le Guerzenich, salle des fêtes municipale bâtie au XVᵉ siècle, l'église Saint-Martin-le-Grand et le nouveau musée Wallraf-Richartz au Rathausplatz. Le Cologne moderne est aujourd'hui un véritable eldorado des médias. Ville de commerce depuis toujours, ses grands quartiers marchands attirent une clientèle nombreuse venant de la région, mais aussi des pays limitrophes. Cologne est également une métropole culturelle de rang international.

An gleicher Stelle wie der heutige Dom stand die karolingische Vorgänger-Kirche (geweiht 870), die 1248 teilweise niederbrannte. Der Dreikönigen-schrein und das Gerokruzifix waren damals gefähr-det. Beide Kunstwerke von europäischem Rang konnten 1322 in den vollendeten Chor des goti-schen Doms gebracht werden. Zu den ältesten Glasgemälden zählt das berühmte Bibelfenster im Chorumgang. Besonders sehenswert ist der Fensterzyklus, den König Ludwig I. von Bayern 1848 dem Dom schenkte. Weniger bekannt, doch von größerem kunsthistorischen Gewicht, sind die Glasgemälde im nördlichen Seitenschiff.

The site of the present Cathedral was formerly occupied by the Carolingian Hildebold Cathedral, consecrated in 870. It was partially destroyed by fire in 1248. The Shrine of the Three Wise Men and the Gero Crucifix were under threat. In 1322 these two European works of art were rehoused in the completed chancel. The Bible window in the ambulatory is one of the oldest stained glass paintings. Also of particular note are the win-dows donated to the Cathedral by King Ludwig of Bavaria in 1848. Less well-known, but more important in art history terms, is the glasswork in the north side.

Le Dom s'élève sur l'emplacement d'une cathé-drale carolingienne, édifiée sous l'archevêque Hildebold, consacrée en 870 et partiellement incendiée en 1248. Néanmoins, en 1322, ses deux trésors, la châsse des Rois Mages et le cru-cifix de Géro, reprenaient leur place dans le chœur reconstruit. Mais les travaux se poursui-virent très lentement. Le célèbre « vitrail de la Bible » dans la galerie du chœur date d'environ 1290. Les vitraux des bas-côtés droits (sud) furent offerts en 1848, par le roi Louis II de Bavière et ceux des bas-côtés (nord).

Aachen ist die westlichste Stadt Deutschlands im Dreiländereck zu Belgien und den Niederlanden. Die Stadt mit Tradition und Fortschritt wurde durch bedeutende Kulturdenkmäler aus der Zeit Karls des Großen geprägt. Von 768–814 war Aachen der Lieblingsort Karls des Großen und somit Zentrum des Reiches. 600 Jahre lang wurden hier im Dom die deutschen Könige gekrönt. Schon die Römer schätzten vor zwei Jahrtausenden die heißen Thermalquellen und siedelten sich hier an. Die Hochschul- und Kurstadt hat eine kulturelle Vielfalt zu bieten und lädt zum Bummeln und Flanieren ein.

Aachen, Germany's westernmost town, stands on the borders of Belgium and the Netherlands. Here, technological advance and ancient traditions mix with many notable monuments dating from Charlemagne's time. From 768 to 814 this was Charlemagne's favourite residence and so the heart of his empire; for 600 years German monarchs were crowned in the cathedral. Aachen's origins go back 2000 years, when Romans settled round its hot, healing springs. Visitors will enjoy the cultural diversity and leisurely inviting atmosphere of this famous spa and university town.

Aix-la-Chapelle est la ville la plus occidentale d'Allemagne, située aux frontières de la Belgique et des Pays-Bas. Ville mariant la tradition et le progrès, elle est surtout associée à l'époque de Charlemagne de laquelle elle a conservé d'importants monuments historiques. Résidence préférée de Charlemagne de 768 à 814, elle devint le centre de l'Empire. Durant 600 ans, les souverains allemands furent couronnés dans la cathédrale d'Aix-la-Chapelle. Il y a 2000 ans, les sources thermales étaient déjà appréciées des Romains qui fondèrent ici une colonie.

Zusammen mit dem historischen Rathaus bildete der Dom die Kaiserpfalz Karl des Großen. Im Rathaus befinden sich noch heute im „Krönungssaal" die Kopien der Reichskleinodien. Das Oktogon der Pfalzkapelle (von 805) ist das Kernstück des Aachener Domes, sie war der größte Kuppelbau ihrer Zeit nördlich der Alpen. Hier bestiegen die deutschen Kaiser und Könige den Thron. Die Pracht und den Prunk dieser Herrscher kann man am besten in der bedeutenden Sammlung deutscher Kirchenschätze in der Schatzkammer bewundern.

Charlemagne's palace encompassed both the cathedral and the historic town hall. Today copies of the imperial insignia can be seen in the Coronation Chamber of the town hall. At the heart of Aachen Cathedral stands the octagon of the palace chapel (805), in its time the largest domed building north of the Alps. Kings and emperors were crowned here, and it is still possible to get an impression of the pomp and splendour surrounding these monarchs and rulers by visiting the notable collection of ecclesiastical treasures in the Cathedral Treasury.

L'hôtel de ville historique et la cathédrale constituaient le coeur de la résidence carolingienne. L'hôtel de ville abrite la salle du Couronnement ornée de fresques évoquant la vie de Charlemagne. Centre de la cathédrale, la rotonde octogonale était la chapelle du palais de Charlemagne (805), et en son temps, le plus grand édifice à coupole au nord des Alpes. Maints empereurs et rois d'Allemagne y furent couronnés. Le pouvoir et la magnificence de ces souverains se révèlent dans la salle du trésor de la cathédrale qui referme une collection impressionnante d'oeuvres d'orfèvrerie.

Aachener Dom   ▽ Dom Innenraum – Altarraum im unteren Umgang des Oktogons   △ Historisches Rathaus – karolingisch, gotisch, barockes Stadtschloss

Die 2000-jährige Bonner Stadtgeschichte begann mit einem römischen Kastell. Die Legionäre Cassius und Florentinus starben hier den Märtyrertod. Heute sind sie die Stadtpatrone Bonns. Über ihren Gräbern erhebt sich die Münsterbasilika. Die Universität und das Rathaus sind Zeugen barocker Pracht. In der Zeit des demokratischen Aufbruchs in Deutschland wehte erstmals 1848 auf der Rathaustreppe die schwarz-rot-goldene Fahne. Musischen Ruhm verleiht Bonn indes Ludwig van Beethoven. Sein Geburtshaus erinnert an den großen Komponisten.

The history of Bonn started 2,000 years ago with a Roman fort, one of the first on the Rhine. The stately Romanesque Münster is dedicated to two Roman martyrs, Cassius, and Florentinus, who are also the patron saints of the city. The imposing Baroque university building was originally the Elector's palace. It dates from the early eighteenth century, as does Bonn's historic Town Hall in the marketplace, where the familiar black, red and gold German flag was first raised in the revolution of 1848. Not far from the Town Hall stands Beethoven's birthplace, now a museum.

L'histoire vieille de 2000 ans de Bonn a commencé avec un camp romain. Les légionnaires Cassius et Florentinus sont aujourd'hui les patrons de la ville et sur leurs tombes s'élève l'admirable église romane, le Münster. L'université et l'hôtel de ville datent de l'époque baroque. Durant l'éveil démocratique en Allemagne, le drapeau aux trois couleurs noir, rouge, jaune fut pour la première fois déployé en 1848 sur l'escalier de l'hôtel de ville. L'ancienne capitale allemande se glorifie aussi d'avoir vu naître Ludwig van Beethoven. La maison natale du musicien est aujourd'hui un musée.

Bereits im Altertum nutzten die Menschen den Rhein und die Mosel für den Schiffsverkehr. Schwer vorzustellen, so ganz ohne Motor, und dann noch gegen die Strömung. Es begann die Zeit der starken Männer und der starken Pferde. Denn die Kähne wurden vom Ufer aus gegen den Strom ihrem Ziel entgegen gezogen, was man Treideln nannte. Die aufkommenden Dampfschiffe, die Ende des 18. Jahrhunderts modern waren, machten das Treideln überflüssig. Dies war auch der Beginn der Rheinromantik und die Geburtsstunde des Dampferverkehrs für Ausflügler und Touristen.

The people of the Rhine and Moselle have naturally made use of water transport for centuries. Hauling boats upstream against the swirling currents without a motor required strong men and strong horses, for this was a back-breaking task for man and animal alike. Not until steam vessels were introduced to the Rhine at the end of the 18th and beginning of the 19th century did the tow rope become obsolete. The steamboat also marked the start of a new era, with the advent of tourists out to enjoy the newly discovered romance of the Rhine.

Dès l'Antiquité, les hommes ont utilisé le Rhin et la Moselle pour la navigation fluviale. Aujourd'hui, il est difficile de s'imaginer des Bateaux sans moteur bravant les courants. Mais autrefois, on se servait de la force des hommes et des chevaux. C'était une corvée épuisante que supprima l'avènement des bateaux à vapeur. Ceux-ci firent leur apparition à la fin du XVIIIe siècle pour devenir de plus fréquents su le Rhin et la Moselle au cours du XIXe siècle. Cette époque vit alors la naissance de navigation de plaisance et l'engouement pour les paysages romantiques du Rhin.

Natürlich hat der Drachenfels nie einen Drachen gesehen; hier wurden seit der Römerzeit die „Drakensteine" gebrochen, Trachyt, mit dem auch der Kölner Dom errichtet wurde. Und das Siebengebirge hat auch nicht sieben Berge, sondern um die vierzig, und trägt seinen Namen nach den „Siefen", den kleinen Wasserläufen, denen man hier überall begegnet. Seiner Wirkung aber tut das keinen Abbruch, der Drachenfels ist der meistbesuchte Berg in Deutschland, und beim Aufstieg findet man auf halber Höhe Schloss Drachenburg.

The Drachenfels rock takes its name from the trachyte stone that has been quarried here since Roman times and was used, amongst other things, in the construction of Cologne Cathedral. The Siebengebirge range nearby is comprised of some 40 hills. It is named after the numerous brooks or "Siefen" that tumble their way down the slopes. The Drachenfels is a popular place for excursions. In fact, it attracts more visitors every year than any other mountain in Germany. Half-way up stands the castle known as the Drachenburg.

Déjà au temps des Romains, on extrayait du Drachenfels la trachyte, une pierre qui a servi à la construction du Dom de Cologne. Les Sept-Montagnes ou Siebengebirge ne sont pas sept mais quarante environ et doivent leur nom aux « Siefen », ces petits torrents qui y coulent partout. Cette confusion des noms n'enlève rien pourtant à la beauté du paysage. Le Drachenfels est la montagne la plus visitée d'Allemagne et décorée à mi-hauteur d'un château dit Drachenburg qu'un industriel, féru de romantisme, se fit construire à la fin du siècle dernier.

Keltischen Ursprungs ist der Name „Breisig", hier war die Grenze der Nieder- und Obergermanen. Kaiser Karl IV. verlieh der Stadt das Marktrecht nur unter bestimmten Bedingungen, die bis heute gewahrt werden konnten. Erst richtig interessant für den Kurgast wurde Bad Breisig durch die Erbohrung der Thermalsprudel; es bieten sich Bäder für Rheuma-, Herz-, Kreislauf-, Nieren- und Stoffwechselerkrankungen an. Burg Rheineck, erbaut im 11. Jahrhundert, gehört zu den ältesten und bekanntesten historischen Bauwerken am Rhein.

The name "Breisig" is of Celtic origin, this was the border between the Lower and Upper Germans. Emperor Charles IV granted the city market rights only under certain conditions which were able to be preserved until today. Bad Breisig became really interesting for the spa guests when the thermal springs were bored. Baths are offered for rheumatic, heart, circulation, kidney and metabolism illnesses. Rheineck Castle, built in 11th century, is one of the oldest and best-known historic buildings. Due to its romantic radiance it is also called Rheineck Palace.

Le nom de cette charmante ville thermale a des racines celtiques. C'est ici que courait la frontière entre la Germanie inférieure et supérieure. L'empereur germanique Charles IV accorda ses droits de cité à la localité qui connut un nouvel essor après la découverte de sources thermales souterraines. Les eaux sont utilisées dans le traitement des rhumatismes, des maladies cardio-vasculaires, des reins et du métabolisme. Construit au XIe siècle, Burg Rheineck est un des plus anciens édifices historiques d'Allemagne. Son aspect romantique évoque l'époque lointaine des chevaliers.

Westlich des Rheins, zwischen Mosel und Ahr, liegt die Eifel, ein Mittelgebirge mit vulkanischer Vergangenheit, die heute noch in Maaren, Tuff und Mineralwasser zu Tage tritt. Das kleine Ahrtal birgt das größte geschlossene Rotweingebiet der Bundesrepublik; hier sprudeln auch die Quellen, aus denen seit über hundertfünfzig Jahren die Welt trinkt, wie es die Werbung sagt. Seit 1858 ist das mondäne Bad Neuenahr Kurort, hier suchten die gekrönten Häupter von einst Ruhe, Gesundheit und Zerstreuung im Casino.

To the west of the Rhine, between the Moselle and Ahr rivers, lies a hilly, former volcanic region known as the Eifel. Today its many springs are a valuable source of mineral water. The small valley of the Ahr contains the biggest single area in the Federal Republic of Germany for growing red wine, and according to the advertisements, the mineral water from its numerous springs has been in great demand for more than 150 years. In 1858 the charming town of Neuenahr became a spa and at one time the crowned heads of Europe came here to rest and recuperate.

A l'Ouest du Rhin, entre la Moselle et l'Ahr, s'étend l'Eifel, une région de montagnes moyennes dont on retrouve le passé volcanique dans le tuf, dans les abîmes circulaires appelés « Maare » et dans les sources d'eaux minérales. La vallée de l'Ahr renferme la plus grande région de vin rouge en Allemagne fédérale. Depuis 1858, Neuenahr est une station thermale à la mode. Les têtes couronnées venaient autrefois y chercher le repos, la santé et les plaisirs dans le Casino.

△ Kasselburg bei / near / dans Gerolstein   ▽ Rur, Raft

△ Das Ahrtal mit Blick auf Altenahr / Ahr valley / Ahr vallée ▽ Burg Satzvey / Castle / Château

△ Ritterspiele / Knight / Chevalier Satzvey   ▽ Rot

Die Eifelluft ist reiner und klarer als über Bonn. Deshalb ließ das Bonner Max-Planck-Institut fernab bei Effelsberg ein Radioteleskop errichten, es war lange Zeit das größte bewegliche Gerät dieser Art auf der Welt. Mit dem runden, hundert Meter großen Spiegel lauscht die moderne Radioastronomie bis ans Ende der Galaxis. — Die meisten Vulkanseen der Eifel sind sogenannte Maare. Ihre Wasserflächen bildeten sich in den Kratern, die lediglich durch Gas- oder Wasserdampfexplosionen aufgerissen wurden. Die warme Quelle, die diesen Maarsee speist, ist ein letztes Zeugnis aus der Zeit der Vulkanaktivität.

In the high plateau of the Eifel between the Rhine and the Belgian border it is no small surprise to come across, for a long time it was the largest movable radio telescope in the world, an awesome and breathtaking sight in the remote wooded valleys. The Max Planck Institue in Bonn erected this gigantic telescope, whose bowl is 100 metres in diameter, at Effelsberg, near Bad Münstereifel. — The most of the volcanic lakes in the Eifel are so-called maars. They formed in craters resulting from explosions of just gas or steam.

Le ciel de l'Eifel est plus clair que celui de Bonn. C'est pour cette raison que l'Institut Max-Planck de Bonn installa près de Effelsberg le plus grand appareil de radiotélescopie du monde d'ici 2000. La radioastronomie moderne explore les fins fonds de la galaxie à l'aide d'un miroir de cent mètres de diamètre. — Les lacs volcaniques de l'Eifel sont appelés Maare. Ils se formaient dans les cratères qui s'étaient ouverts après des explosions de gaz ou de vapeur. La source chaude qui l'alimente rappelle le passé volcanique de cette région.

Mayen ist die größte Eifelstadt. Ihre Wirtschaftsquellen fließen aus der uralten Basaltstein- und Lavaindustrie und der Landwirtschaft. Ihr Wahrzeichen ist die sagenumwobene Genovevaburg, die sich mitten im Stadtzentrum befindet. Ritter Siegfried und seine Frau Genoveva bewohnten die Burg im Mittelalter. Als er auf Reisen ging, übergab er seine Frau in die Obhut von Golo, seinem Vertrauten. Dieser stellte der Holden erfolglos nach. Um sich für diese Schmach zu rächen, bezichtigte er sie als Ehebrecherin. Sie sollte getötet werden – doch das Ende war dann doch glücklich.

Mayen is the largest town in the Eifel and also the one with the most industry and trade. The age-old basalt and lava industry, farming and agriculture in the fertile soil above the lava fields are the sources of its prosperity. Their landmark is the fairytale Genoveva Castle, which is in the middle in the city. The knight Siegfried and his spouse Genoveva lived in the castle in the Middle Ages. He gave his wife into the custody of Golo, his confidant, when he went on his travels. Golo stalked the former without success. To get revenge for his dishonour he accused her of being an adulterer. She was to be killed – but the end turned out happily.

Mayen est non seulement la plus grande ville de l'Eifel mais également la ville la plus riche en industries commerciales, industrielles et artisanales. La tour tordue de l'église Saint-Clément représente l'emblème de la ville et le château fort, le Genovevaburg. Le chevalier Siegfried et son épouse habitaient le château au moyen âge. Partant en voyage, il mit sa dame sous la protection de son homme de confiance qui tenta en vain de la séduire et l'accusa d'adultère par dépit.

Nie zerstört, erobert oder verwüstet, ungestört in einer idyllischen Landschaft mit waldigen Berghängen, umgeben von Bächen, liegt seit hunderten von Jahren Schloss Bürresheim. Bis 1938 war es im Besitz eines einzigen Adelsgeschlechts, welches das Schloss, so wie es heute zu sehen ist, mit einer reichen Einrichtung in rheinischer Adels- und Wohnkultur, ausstattete. Hier lässt es sich wunderbar nachempfinden, wie einfach man um 1490 gewohnt hat. Dem Schloss schließt sich ein kleiner Barockgarten an.

Never destroyed, conquered or ravaged, unspoilt in an idyllic landscape with wooded mountain slopes surrounded by streams, Bürresheim Palace has been located here for hundreds of years. Up to 1938 it was in the possession of one single aristocratic lineage which equipped the palace as it can be seen today with very rich furnishings, in the Rhine nobility and living culture. Here it is possible to visualise how simple life was at around 1490. There is a small baroque garden alongside the palace.

Le château de Bürresheim ne fut jamais conquis, détruit ou ravagé. Depuis des siècles, il se dresse dans un paysage idyllique de vallons boisés où courent des ruisseaux et rivières. Jusqu'en 1938, le château resta la propriété d'une seule lignée noble à laquelle on doit les superbes aménagements intérieurs de style rhénan, réalisés à diverses époques. La visite du château révèle également combien les nobles avaient un mode de vie rudimentaire au moyen âge. Le petit jardin qui jouxte le château date de l'époque baroque.

Wo die Eifel endet, liegt Trier, das römische Augusta Treverorum, seit Cäsar hier die Kelten unterworfen hatte. Die strategische Bedeutung der Stadt an der Moselfurt wuchs ins Unermessliche, als hier im Jahre 17 vor Christi Geburt der erste Brückenschlag über die Mosel gelang. Trier wurde zum mächtigen Handelsplatz und ist es über die Jahrhunderte geblieben. Die Steipe, das alte Festhaus der Trierer Bürgerschaft, erinnert daran ebenso wie der gewaltige Dom, dessen Entstehungsgeschichte bis in die Jahre der Völkerwanderung zurückreicht.

Trier, the oldest town in Germany, was founded by the Roman Emperor Augustus. It quickly became the largest town north of the Alps, strategically important because of the first bridge across the Moselle was built here in 17 B.C. Mediaeval Trier was smaller, but remained an important administrative and trading centre. In spite of wars and invasions, much of Roman Trier has been preserved. Quite apart from the fascinating museum collections, it is difficult to walk around the town without stumbling upon what are undoubtedly the most impressive Roman remains in Germany.

Trèves, « Augusta Treverorum » après la victoire de César sur les Celtes, est située à la frontière de l'Eifel. La signification stratégique de la ville prit des dimensions immenses quand la Moselle fut franchie pour la première fois en l'an 17 avant Jésus-Christ. Trèves devint une place de commerce importante et l'est restée jusqu'à aujourd'hui. La « Steipe », ancien hall des fêtes des citoyens de la ville et l'imposante cathédrale rappellent la gloire de la cité.

Geschichtliche Brückenschläge sind in Trier immer möglich. An die römische Basilika schließt sich im Rokoko-Stil das Kurfürstliche Palais, das mittelalterliche Stiftsgebäude des Einsiedlers Simeon lehnt sich an das schwarze Stadttor, das auch so heißt: Porta Nigra, eine der stattlichsten Pforten des römischen Imperiums. Die Verlängerung der alten Römerbrücke heißt heute Karl-Marx-Straße, denn nur ein paar Meter weiter, in der Brückenstraße 10, wurde Karl Marx 1818 geboren. Heute ist das Haus ein Museum.

Any self-respecting Roman community had its baths, but those in Trier were vast and later became incorporated into the town walls. Other interesting sites include the giant amphitheatre, the Roman core of the cathedral and the Protestant church, founded on an enormous basilica that the Emperor Constantine once used as a palace. Trier's most magnificent monument is the Porta Nigra. From later times, there are good examples of Gothic and Baroque architecture, and the birthplace of Karl Marx in Brückenstrasse is now a museum.

Les périodes de l'histoire se rejoignent à Trèves : le palais électoral de style rococo s'appuie contre la Basilique romaine, le cloître Saint-Siméon jouxte la Porta Nigra ou Porte noire, un des monuments les plus importants de l'Empire romain. La prolongation du vieux pont romain s'appelle aujourd'hui la rue Karl-Marx car c'est quelques mètres plus loin, au 10 de la rue Brücken, qu'est né le philosophe révolutionnaire. Sa maison est aujourd'hui un musée.

TRIER – Hauptmarkt mit der Steipe, der Kirche St. Gangolf   ▽ Porta Nigra   △ Das Kurfüstliche Palais und die Basilika   ▽ „Brot und Spiele", Kaisertherme

Schon von weitem kann man die Burgruine Landshut erkennen und den Ort Bernkastel-Kues erahnen. Die Burg wurde 1692 zerstört, heute findet man in dem Restmauerwerk ein Restaurant, in dem die Weinbergwanderer gern gesehen sind. Auch der „Bernkasteler Ring", eine der ältesten Vereinigungen von Weingütern, setzt schon seit längerem zunehmend mehr auf die vorzügliche Kombination von gutem Essen und gutem Wein. In liebevollem und schmuckem Ambiente wie dem Bernkasteler Marktplatz ist der Genuss dann perfekt. Live-Musik gibt's bei Festlichkeiten gratis dazu.

On the right, through the dusk, stands the ruined castle of Landshut; the town partially visible on the left is Bernkastel. Although Landshut castle was destroyed in 1692, there is now a restaurant within the ruins which extends a special welcome to walkers in the region. The so-called "Bernkasteler Ring", which is one of the oldest associations of vineyards, has for many years laid increasing emphasis on the excellent combination of good food and good wine. And it will be a most particular pleasure if you happen to allow this happy culinary alliance at the delightful surroundings as the market place in Bernkastel.

Depuis très loin, on peut reconnaître la ruine du château de Landshut et deviner les contours de Bernkastel. Le château fut détruit en 1692 ; ses vestiges abritent un restaurant où les randonneurs trouveront un accueil convivial. Il y a longtemps que le « Bernkasteler Ring », une des plus anciennes associations viticoles de la contrée, promeut le mariage des bons plats et des bons vins lors des fêtes viticoles. Que désirer de plus quand on a la chance de déguster cette combinaison gastronomique dans une ambiance chaleureuse et conviviale comme celle de la place du marché de Bernkastel ?

Nicht alles, was alt aussieht, ist auch alt: So zum Beispiel das im alten Stil gebaute Tor an der Brücke über die Mosel, das einer Walt-Disney-Architektur in nichts nachsteht. Dagegen hat die Grevenburg, die hoch über Traben-Trarbach steht, schon weit mehr Jährchen auf dem Buckel. Sie wurde bereits 1350 gleichzeitig mit der Stadtbefestigung als Residenz von Graf Johann III. von Sponheim erbaut und hatte ein bewegtes Leben, bis sie im 18. Jahrhundert von den Franzosen komplett gesprengt wurde.

Not everything that looks old really is old; for example, this bridge gateway over the Moselle, constructed in an antiquated style on a par with any of Walt Disney's architectural creations. In contrast, Grevenburg castle, which stands on a hill high above Traben-Trarbach, has many more years to its name. It was built in 1350, at the same time as the town walls, and served as the seat of Count Johann III of Sponheim. The castle had an eventful history until it was blown up by the French in the 18th century.

Tout ce qui a l'air vieux n'est pas authentique. Un exemple en est la porte bâtie en style ancien près du pont de la Moselle; une architecture qui pourrait sortir tout droit d'un film de Walt Disney. Par contre, la Grevenburg domine Traben-Trarbach depuis des siècles. L'ancien château fort fut construit en même temps que l'enceinte de la ville en 1350, comme résidence du comte Johann III. Après avoir vécu un passé très mouvementé, elle fut détruite par l'armée française au XVIIIe siècle.

Cochem ist zweifelsohne eine Touristenhochburg an der Mosel. Rund 1,5 Millionen Tagesgäste besuchen die Stadt pro Jahr, außerdem werden jährlich zirca 450.000 Übernachtungen gebucht. Das kommt nicht von ungefähr: Die lebendige Kleinstadt besitzt reiche historische Bausubstanz und romantische Plätze, Gassen, den Marktplatzbrunnen und das barocke Rathaus. Dazu kommen Teile der ehemaligen Stadtbefestigung, die Pfarrkirche St. Martin und das Kapuzinerkloster von 1623. Auf der Reichsburg Cochem, die um 1070 erbaut wurde, werden heute Burgfeste veranstaltet.

Cochem is without doubt the principal tourist centre on the Moselle. About 1.5 million visitors come here every year and about 450,000 overnight guests are registered annually. This is of course no coincidence, for this lively little town possesses many buildings of considerable historical interest, romantic squares and alleys, a market well and a Baroque Town Hall. Additional visitor attractions include sections of the old town walls, the parish church of St Martin and the Capuchin monastery of 1623. The imperial castle of Cochem was originally built in 1070. In the 19th century it was restored in neo-Gothic style.

Cochem est un des fleurons touristiques de la Moselle. Chaque année, la petite ville ancienne accueille 1,5 million de visiteurs dont 450.000 séjournent au moins une nuit. Ces chiffres n'étonneront pas car Cochem est pittoresque, romantique et riche en monuments historiques. On sera charmé par ses ruelles pavées, sa place du marché typique ornée d'une jolie fontaine et son hôtel de ville de style baroque; à visiter également: les vestiges de l'enceinte médiévale, la belle église paroissiale St-Martin et le cloître des Capucins de 1623. L'ancienne forteresse d'Empire de Cochem date de 1070.

Seit 1157 ist die Burg im Besitz derselben Familie. Sie ist eine der wenigen Burgen, die nie zerstört wurden, abgesehen von einem Brand im Jahr 1920. Eltz war eine Ganerbenburg, in der mehrere Linien des Adelsgeschlechts zusammen lebten. Zeitweise hatte die Burg 120 und mehr Bewohner. Die einzelnen Linien hatten ihre eigenen Burghäuser, wodurch die Gesamtanlage so malerisch wirkt. Die Ausstattung der Räume gibt einen Überblick über die Wohnkultur der vergangenen Jahrhunderte. Seit 1815 ist sie Eigentum der Linie vom goldenen Löwen der Grafen von und zu Eltz.

Since 1157 the castle has been in possession of the same family. It is one of the few castles which have never been destroyed apart from a fire in the year 1920. Eltz was a Ganerbenburg, in which several lines of the lineage lived together. At some times the castle had 120 or more inhabitants. The individual lines had their own castle buildings giving the complex as a whole a picturesque impression. The furnishing of the rooms imparts a general view of the style of home decor of past centuries. Since 1815, it has been the property of the line from the Lions of the Count of and at Eltz.

Le château appartient à la même famille depuis 1157. Il est un des rares châteaux allemands qui n'a jamais été endommagé, hormis un incendie en 1920. Eltz était une propriété en indivision, où habitaient ensemble plusieurs lignées de la famille. Plus de 120 personnes y ont résidé à certaines époques. Chaque lignée occupait son propre édifice, ce qui donne à l'ensemble un aspect très pittoresque. Les aménagements des salles offrent un aperçu du mode de vie des siècles passés. Depuis 1815, le château appartient à la lignée du « Lion d'Or » des comtes d'Eltz.

„Man steigt waldein, wandert unter herrlichen Buchen und Eichen immer bergab und hat bald den See Laach unter sich, der tief als ein schauerlich dunkler Waldkessel da liegt und an dem anderen offeneren Ende das Kloster zeigt". So notiert es sich 1844 Ernst Moritz Arndt. Das Kloster St. Maria ad lacium ist eines der schönsten romanischen Baudenkmäler in Deutschland. Im Jahre 1500 schrieb Johannes Butzbach in seiner „Chronica eines fahrenden Schülers": „Wer wäre jemals imstande, würdig zu beschreiben jene bauprächtige Kirche …"

In 1844 Ernst Moritz Arndt wrote: "You enter the forest, walk steadily downhill beneath magnificent beech and oak trees and soon you look down on Lake Laach, a deep, dark and forbidding expanse of water. At the open end of the lake stands the monastery". The St Maria ad lacum monastery is one of the finest architectural monuments in Germany. As Johannes Butzbach asked in 1500: "Who could find words worthy enough to describe that splendid church?"

« Vous pénétrez dans la forêt, descendez le versant sous une voûte de hêtres et de chênes somptueux et bientôt, vous apercevez à vos pieds la surface sombre et austère du lac de Laach au bout duquel se dresse une abbaye ». L'abbaye « St. Maria ad lacum », près du lac de Laach, est une des plus belles constructions romanes d'Allemagne. Déjà en 1500, Johannes Butzbach écrivait dans sa « Chronique d'un écolier errant » : « Qui trouvera jamais des mots assez dignes de décrire cette église somptueuse avec son chœur, son abside double, ses piliers, ses autels et ses voûtes …»

Der Dom auf dem Kalkfelsen am Lahnufer ist das Wahrzeichen von Limburg. So haben die Vedutenmaler der Vergangenheit die Stadt gesehen und dargestellt, nach ihnen die Radierer und Stahlstecher, schließlich die Fotografen. Die kunsthistorisch hochinteressante Gottesburg wurde in der zweiten Hälfte des 13. Jahrhunderts vollendet, zur Zeit wirtschaftlicher Blüte. Der Stil verrät das Kräftespiel zeitgenössicher Kunstauffassungen, zwischen Spätromanik und Frühgotik. Der Turmhelm ist ein halbes Jahrtausend jünger.

Limburg Cathedral, standing on a limestone crag above the River Lahn, dominates the picturesque Old Town of Limburg, and is a prominent landmark for miles. It has always been an attraction for artists in search of a striking motif: First the landscape painters discovered it, then the etchers and steel engravers and finally the photographers. The cathedral with its seven towers is of architectural as well as artistic interest, being a surpassing example of the Romanesque style. It was completed in the 13th century, though the spire is a later addition.

La cathédrale qui se dresse sur un rocher calcaire au bord de la Lahn est le symbole de Limburg. Elle est l'image de la ville que les peintres de paysages, d'antan les graveurs à l'eau-forte et sur cuivre et plus tard les photographes ont vue et représentée. La construction de l'admirable cathédrale au passé historique passionnant a été achevée dans la deuxième moitié du XIIIe siécle alors que la ville vivait une grande prospérité économique. Son architecture trahit deux styles qui s'opposaient à l'époque: le roman tardif et les débuts du gothique.

Schloss Stolzenfels ist rheinländische Romantik pur. Alleine die herrliche Lage ist für Träume geschaffen und so ließ sich 1823 der Kronprinz Friedrich Wilhelm, der spätere König von Preußen, dazu hinreißen, erst den Park und dann die Burgruine in eine neugotische Sommerresidenz zu verwandeln. Die Pläne stammten von dem berühmten Berliner Architekten Karl Friedrich Schinkel. Noch heute strahlt das Schloss seinen mediterranen Charme, als Juwel der Hochromantik, über den Rhein aus.

With its grand, out-of-this-world setting, Stolzenfels fulfils every visitor's idea of the romance of the Rhine. In 1823, Crown Prince Friedrich Wilhelm, later King of Prussia, was so attracted to the site that he converted the park and the castle ruins to a neo-Gothic summer residence. The famed Berlin architect Karl Friedrich Schinkel drew up the plans, and today the castle, a jewel of the Romantic age, still radiates a Mediterranean charm over the reaches of the Rhine.

Stolzenfels évoque le romantisme rhénan par excellence. Sa situation magnifique plut tant au prince héritier Frédéric-Guillaume, futur roi de Prusse, qu'en 1823, il fit réaménager le parc laissé à l'abandon et construire une résidence d'été de style néogothique à l'emplacement du château en ruine. Les plans furent conçus par le célèbre architecte berlinois Karl Friedrich Schinkel. Aujourd'hui encore, le château, empreint d'un certain charme méditerranéen, est considéré comme un joyau de région du Rhin moyen.

Der Mittlere Rhein und die Moselregion haben mehr zu bieten als die stummen Zeugen des Mittelalters. Dank Bacchus, der dieses Stückchen Deutschland liebevoll in seine Arme genommen hat, dreht sich dort vieles um den Wein. Malerische Weinhänge allerorten verwöhnen die Augen der Besucher. Weinwanderwege laden ein, den Kreislauf auf Touren zu bringen, auf dass der Schoppen in einer der vielen Weinstuben oder gar direkt beim Winzer ganz besonders gut munde. Die Marksburg zählt zu den besterhaltenen Ritterburgen am Rhein und zieht wohl deshalb alljährlich Touristen aus aller Welt an.

The central Rhine and Moselle regions have more to offer than just silent witness to the Middle Ages. Thanks to Bacchus, the kindly guardian of this part of Germany, wine plays a significant role in daily life here. Wherever you look, picturesque hillside vineyards delight the eye. Visitors can take a brisk walk along the inviting Vineyard Paths, thereby ensuring that the glass of wine in the next restaurant – or even directly from the vintner – tastes all the better. The Marksburg castle is regarded as one of the best preserved castles on the Rhine and doubtless for this reason attracts numerous tourists from all over the world every year.

Les régions du Rhin moyen et de la Moselle ; celles-ci ont bien plus à offrir que les témoins silencieux du moyen âge. Grâce à Bacchus qui a béni ces terroirs allemands, le vin y tient une place d'honneur. Partout, paysages de vignes accrochées à des versants abrupts ravissent le regard des visiteurs. Des chemins de randonnées à travers les vignobles invitent à des marches sportives, après lesquelles le pichet de vin bu dans une des nombreuses auberges ou chez les vignerons n'en est que plus délectable. La Marksburg, un des châteaux forts moyenâgeux les mieux conservés de la région du Rhin.

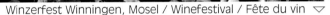

△ Winzerfest Winningen, Mosel / Winefestival / Fête du vin ▽

ROMANTIKFAHRT AN RHEIN, MOSEL UND NAHE / ROMANTIK TOUR / ROMANTIK TOURNÉE AU RHIN, LA MOSELLE ET NAHE ▽ Rüdesheim, Drosselgasse △ Marksburg

△ Kröv, histor. Trachtenfest ▽ Bad Kreuznach, Kauzenburg

Die Burg der hessischen Grafen von Katzenelnbogen über St. Goarshausen hieß im Volksmund immer schon „Burg Katz". Ein Stück weiter lag die befeindete Deurenburg, von den Herren auf der Katz geringschätzig „Maus" genannt. Der 132 Meter hohe Schieferfelsen Loreley im Hintergrund war ein sicherer Zufluchtsort. Eine Burg hat es hier nie gegeben, auch kein blondes Weib am Felsen, das mit Kämmen und Gesang die Schiffer ins Verderben zieht. Die Loreley-Sirene hat erst 1800 der Dichter Brentano erfunden und Heinrich Heine hat sie dann unsterblich gemacht.

Two magnificent landmarks of the Rhine lie above St Goarshausen. The castle of the Counts of Katzenelnbogen is known simply as "the Katz". (The counts dismissed the rival castle of Deurenburg nearby as "the Mouse"). The 400-feet-high slate cliff in the background is the notorious Loreley, home of the blonde maiden whose song lured the sailors of the Rhine to a watery grave. The dangers of the massive crag were real; the mysterious maiden is pure 19th century, invented by the Romantic writer Brentano and subsequently immortalised in a poem by Heinrich Heine.

La langue populaire a toujours appelé « le Chat », le château des comtes hessois de Katzenelnbogen. Un peu plus loin en aval, se dressait le château ennemi de Deurenburg dit « la Maus » « la Souris » ainsi que le nommaient avec mépris les seigneurs « du chat ». A l'arrière-plan, le rocher de la Loreley, haut de 132 mètres n'a jamais été habité par une sirène qui chantait en peignant ses longs cheveux blonds. Le poète Brentano l'a inventée en 1800 avant que Heinrich Heine ne l'immortalise à jamais.

Wenn sich die Natur schon in zartem Frühlingsgrün zeigt, erwacht Oberwesel, das Städtchen der mittelalterlichen Türme und des Weins, aus dem Winterschlaf. Die Menschen bereiten sich auf die spektakuläre Wein- und Hexennacht Ende April vor. Um 1523 arbeitete auf der Schönburg eine Alchimistin daran, die Formel für die Herstellung von Gold zu finden. Dann wurde der Graf von Schönburg erst auf seiner Burg gefangen gehalten und später ermordet, während von der Burg aus die berüchtigte Räuberbande, die „Schinder" ihr Unwesen trieben.

Oberwesel is famous for its medieval towers and wine. The best time to be here is early in the year, when the town awakes from its winter sleep and the fresh green of springtime bursts out all around. It is now that the residents prepare for the spectacular Wine and Witch Night at the end of April. In 1523 a female alchemist in Schönburg castle was searching for the secret of how to make gold. The Count of Schönburg was first taken prisoner in his own castle and later murdered, while the castle itself became a useful base for the region's infamous robber bandits.

Au printemps, lorsque la nature verdit, Oberwesel sort de son sommeil d'hiver. La petite ville connue pour son vin et ses tours moyenâgeuses, organise alors une fête spectaculaire : la « Nuit du vin et des sorcières » qui a lieu fin avril. Vers 1523, au château de Schönburg, une alchimiste travaillait à découvrir la formule pour fabriquer de l'or. Mais le comte de Schönburg fut d'abord fait prisonnier, puis ensuite assassiné dans son château qui était tombé aux mains d'une bande de brigands tristement célèbre. Les « Schinder » sévirent pendant des années dans la région.

Am 1. Januar des Jahres 1814 stiegen hier 200 Brandenburger in die Kähne. Nach der Völkerschlacht bei Leipzig trieben die Preußen Napoleon zurück über den Rhein, und Marschall Blücher, auf dem Vormarsch, überschritt bei Kaub den Rhein. Die malerische Pfalz, die Zollstelle Pfalzgrafenstein, wurde von König Ludwig aus Bayern 1327 hier errichtet, damit auch die geistlichen Kurfürsten endlich ihren Zoll auf dem Rhein beglichen. Sie sieht selbst wie ein Schiffchen aus.

At Kaub the Rhine forces its way through a narrow gorge. With its castle above and islet below, Kaub was an obvious site for collecting river duties, and indeed the boatshaped customs house with the impressive name of Pfalzgrafenstein fulfilled that task for several hundred years. Kaub has also gone down in history as playing a part in the story of those two arch-rivals: the French Emperor Napoleon and the formidable Prussian Marshal Blücher. Blücher crossed the river at Kaub to ensure that Napoleon was finally driven back over the Rhine and out of Germany.

C'est à cet endroit que s'embarquaient 200 Prussiens, le 1er janvier 1814. Napoléon avait dû repasser le Rhin après la bataille de Leipzig. Le maréchal Blücher, son poursuivant, traversa le fleuve à Kaub. Au milieu du Rhin, le roi Ludovic de Bavière fit ériger en 1327, le pittoresque château-fort de la Pfalz sur le Pfalzgrafenstein afin que les princes électeurs avares payent enfin les droits de péage sur le Rhin.

„Zu Bacharach am Rhein soll sein der beste Wein". So heißt es in einem Trinklied des 17. Jahrhunderts. Das schöne Städtchen bei Burg Stahleck hat nach dem Wein sogar den Namen: Bacchiara hieß es in der Römerzeit. Im vierzehnten Jahrhundert bekam der Weinort Stadtrecht und ringsum eine Mauer, die noch gut erhalten ist. Hier wird der „Volksheilige" Werner verehrt, ein Knabe, den man in Bacharach erschlagen haben soll. Die Kapelle zu seiner Legende, auch heute noch gotisches Wahrzeichen der Stadt, wurde 1689 zerstört.

According to the 17th century drinking song, "It's in Bacharach on the Rhine where you'll find the best wine". And indeed, this charming little town near Stahleck Castle even takes its name from Bacchus, the Roman god of wine. Bacharach was granted its town charter in the 14th century. Werner, a youth said to have been beaten to death in the town, is revered as a popular saint. The chapel erected in his honour, which is still the Gothic landmark of Bacharach, was destroyed by French troops in 1689.

« C'est à Bacharach sur le Rhin qu'on boit le meilleur vin » déclame une chanson à boire du XVIIe siècle. La jolie petite ville près du château Stahleck doit même son nom au vin ; Bacchiara, autel de Bacchus, disait-on à l'époque romaine. Ce fief du vin reçut les droits communaux et un mur d'enceinte au XIVe siècle. On y vénère le jeune Werner, un saint du peuple qui aurait été assassiné dans la ville. La ruine de la Sankt Werner-Kapelle est un charmant témoignage gothique de la ville.

Wie aus dem Bilderbuch präsentiert sich das Städtchen Bacharach. Fachwerkhaus reiht sich hier an Fachwerkhaus. Die ohnehin schmucken Gebäude putzen sich im Sommer ganz besonders farbenprächtig heraus – dann blühen die roten und rosafarbenen Geranien. Zu den eindrucksvollen Bürgerbauten in Bacharach gehört auch das „Alte Haus" am Markt. Es wurde 1568 errichtet. Sehenswert ist aber auch der Posthof und das ehemalige Münzhaus die „Kurpfälzische Münze", die heute als Restaurants die Besucher zu Speis' und Trank einladen.

Entering the little town of Bacharach is just like walking straight into a picture book. Half-timbered houses jostle for place, pretty at any season but at their most colourful in summer, when the window boxes are full of red and pink geraniums. On the market-place there stands one of the most impressive burgher's houses in Bacharach, the "Altes Haus" (Old House), built in 1568. Another interesting attraction is the former "Münzhaus", which provides a welcome break for visitors, as it has been converted to a restaurant.

Bacharach semble sortir d'un livre de contes de fées. Les maisons à colombages s'alignent les unes à côté des autres. En été, elles s'ornent de superbes couleurs lorsque les géraniums rouges et roses sont en fleurs. Construit en 1568, l'édifice dit « Altes Haus » (Vieille-Maison) sur la place du marché, est une des plus belles demeures patriciennes de la ville. On peut également admirer le Posthof et l'ancien Münzhaus (hôtel des Monnaies) qui abrite aujourd'hui une auberge très accueillante.

Für viele ist sie das berühmteste Sträßchen der Welt: Die vielbesungene Drosselgasse in Rüdesheim mit ihrem Kopfsteinpflaster, den Fachwerkhäusern und den Weinstuben. Dabei misst sie nur ganze 144,5 Meter. — Idyllisch ist der Blick auf die Stadt Bingen mit der Kirche St. Martin und der Burg Klopp. Bingen liegt an der Nahemündung. — Das Niederwalddenkmal steht 225 Meter über dem Rheinspiegel mit der kolossalen Germania-Statue, dem „Vater Rhein" und der „Mosella", das an die Gründung des deutschen Reiches 1872 erinnert. Es wurde von 1877 bis 1883 erbaut.

For many people, this is the most famous lane in the world; the much-sung Drosselgasse (Thrush Lane) in Rüdesheim, with its cobblestones, its quaint half-timbered houses and wine taverns. Although the lane is a mere 144.5 metres long. — The view of the Town of Bingen on the Rhine, with the Church St Martin and the castle Klopp, is idyllic. Bingen lies at the confluence to the River Nahe. — The colossal Niederwald monument stands 225 metres above the Rhine. With its three figures of Germania, Father Rhine and Mosella, it was conceived as a memorial to the foundation of the German Empire in 1871.

On dit qu'elle est la ruelle la plus célèbre au monde: la Drosselgasse de Rüdesheim avec ses anciens pavés, ses maisons à pans de bois et ses tavernes accueillantes. Pourtant elle ne mesure que 144,5 mètres de longueur. — Est idyllique de la vue sur la ville de Bingen avec l'église Saint-Martin et du château Klopp. Bingen est situé à l'embouchure de la Rivière Nahe. — Le monument colossal, qui s'élève à 225 mètres au-dessus du niveau du Rhin, fut érigé de 1877 à 1883. La statue de la Germania, haute de 10,50 mètres, avec le « Père Rhin » et la « Mosella » rappelle le rétablissement de l'empire d'Allemagne.

Am 13. Januar 1793 pflanzten die Mainzer gleich neben dem Dom einen Freiheitsbaum. Noch heute erinnert dort ein Stern im Asphalt an den Mainzer Versuch mit der Republik nach französischem Muster. Kaum jemand in Deutschland erinnert sich daran. Dafür lernt jedes Kind in der Schule, dass hier Johannes Gutenberg um 1440 den Buchdruck mit gegossenen beweglichen Lettern erfunden hat. Die Hauptstadt von Rheinland-Pfalz sitzt auf dem linken Ufer des Rheins. Gleich gegenüber ist die hessische Hauptstadt Wiesbaden.

The Romans made Mainz into a provincial capital; now it is the capital of the state of Rhineland-Palatinate. Mainz was the stage for one of the world's greatest revolutions, a peaceful one that is, for it was here that Johannes Gutenberg perfected his technique of printing books with movable metal type. There is a working reconstruction of his press in the Gutenberg museum in Mainz, with authentically-dressed printers turning out souvenirs. Poor Gutenberg had to sell his magnificent books to his debtors before he died, poverty-stricken, in 1440.

Le 13 janvier 1793, les habitants de Mayence plantaient un arbre de la liberté à côté de la cathédrale. Aujourd'hui encore, une étoile dans l'asphalte rappelle cette tentative des Mayençais d'établir une République d'après le modèle français. Si les enfants n'apprennent plus cet épisode à l'école, on leur enseigne que c'est à Mayence que Jean Gutenberg inventa l'imprimerie en 1440. La capitale de la Rhénanie-Palatinat est située sur la rive gauche du Rhin, juste en face de la ville d'eau de Wiesbaden.

Wiesbaden liegt in einer Mulde zwischen Taunus und Rhein. Das Schicksal der eleganten Stadt sind die Quellen (27 Natrium-Chloridthermen, 38 bis 67 Grad heiß). Die Badetradition ist seit Römerzeiten nachgewiesen. Wiesbaden ist hessische Haupt- und Kongresstadt. Auf den Rang einer Weltkurstadt hat sie aus eigenem Ermessen verzichtet, besitzt aber noch das Kurhaus sowie Anlagen und Kliniken und ist Standort der Klinik für Diagnostik. Das Kurzentrum mit den sprudelnden Quellen, liegt idyllisch aber dennoch nahe der Innenstadt.

Wiesbaden lies in a hollow between the Taunus mountains and the Rhine. The fate of this elegant town lies in its springs (27 sodium chloride hot springs, at a temperature of 38 to 67 degrees Celsius). The tradition of taking the waters goes all the way back to the Romans. Wiesbaden is the Hessian capital and a convention centre. It has deliberately rejected the status of international health resort. However, the city still has the spa house and facilities as well as clinics, including a diagnostic clinic. The spa was removed to the outskirts of the town. The springs bubble on.

Wiesbaden s'étend dans une dépression de terrain entre le Taunus et le Rhin. Les sources ont scellé le destin de la ville élégante. Elles sont au nombre de 27 avec des eaux chlorurées sodiques à la température allant de 38 à 67 dégréés et étaient déjà utilisées par les Romains. Wiesbaden est la capitale de Hesse et une ville de congrès. Elle a renoncé à se hausser au niveau d'une ville d'eaux de réputation mondiale. Mais elle possède encore le Kurhaus de style Belle Epoque ainsi que des établissements thermaux et des cliniques modernes.

Mit der Pfalz, einem Teil des Bundeslandes Rheinland-Pfalz, sind untrennbar Assoziationen wie Wein, Weinstraße, blühende Mandelbäume, Feigen, Urlaubs- und Erholungsregion verbunden. Das Landschaftsbild entlang der Deutschen Weinstraße wird geprägt durch das größte zusammenhängende Weinanbaugebiet Deutschlands und den Pfälzer Wald. Von März bis Oktober vergeht kein Wochenende, an dem nicht in einem oder mehreren Orten entlang der Deutschen Weinstraße und in der Umgebung fröhliche Weinfeste stattfinden. Dabei werden Pfälzische Spezialitäten aus Küche und Keller aufgetischt.

Wine, the Weinstrasse, almond trees in bloom, figs, holidays and recreation – these are the associations conjured up by the name Palatinate which is part of the state of Rhineland-Palatinate. The landscape along the German Weinstrasse is characterized by the most extensive and continuous wine growing area of Germany and the Pfaelzer Wald.There is hardly a weekend between March and October without a lively wine festival taking place at one or more locations along the wine road, with tables caving in under the load of local specialities on offer.

Vigne, Route du Vin, amandiers en fleurs, figuiers, repos, vacances sont des images qu'on ne peut dissocier du Palatinat, une région du Land Rhénanie-Palatinat. La région viticole la plus étendue d'un seul tenant en Allemagne et la Forêt du Palatinat (Pfaelzer Wald) créent les paysages de la Route allemande du Vin. De mars à octobre, chaque week-end ramène une fête viticole dans une ou plusieurs communes de la Route du Vin. Les spécialités palatines de la cuisine et de la cave y sont à l'honneur.

ENTLANG DER PFÄLZER WEINSTRASSE   △ Weinlesefest   ▽ Maikammer, Weingut   △ Rhodt, Theresienstraße   ▽ Pfälzer Wald – Ruine Altdahn

Frankfurt am Main ist die größte Stadt in Hessen, nicht die hessische Hauptstadt, aber die lebendigste, fleißigste, kultivierteste und übermütigste Stadt im Land – Metropole und Wirtschaftsgigant im Ballungsraum des Rhein-Main-Dreiecks. Frankfurt ist eine Stadt der Superlative. Es gibt dort die höchsten Häuser, die ehrwürdigste Vergangenheit. Die Gründung an einer Furt durch den Main ist legendär. Frankfurt beherbergt jährlich rund 50 internationale Messen und veranstaltet mehr als 150 Kunstausstellungen, Börsen und Basare.

Frankfurt am Main is the largest city in Hesse. It is not the Hessian capital, but it is the most vibrant, hard-working, cultured and boisterous city in the state - a metropolis and economic giant in the industrial region of the Rhine-Main Triangle. Frankfurt is a city of superlatives. It has the tallest buildings, the most banks, the most expensive real estate, the highest rents and the most distinguished past. Each year, Frankfurt hosts 50 international trade fairs and organizes more than 150 art exhibitions, stock markets and bazaars.

Bien qu'elle n'en soit pas la capitale, Francfort sur le Main est la plus grande ville de Hesse. Elle est aussi la ville la plus animée, la plus culturelle, la plus progressive et la plus active du land. Elle est une métropole et une cité économique géante dans la région entre le Rhin et le Main. On y trouve les plus grands immeubles, la plupart des banques, les terrains à bâtir les plus chers et les loyers les plus élevés. Chaque année, Francfort abrite 50 foires internationales et organise plus de 150 expositions d'art.

Eine bunte Collage des schönen Frankenlandes: Homburg, Schloss Mespelbrunn, Tüchersfeld, Vierzehnheiligen, Rothenburg, Aub – Schäflertanz, Fränkisches Seenland, (v.l.n.r.) — Zwischen 1605 und 1614 ließ Johann Schweikhard von Kronberg, der Mainzer Erzbischof und Kurfürst, aus rotem Sandstein das mächtige Schloss Johannisburg errichten. Die Vierflügelanlage mit ihren wuchtigen Ecktürmen ist eines der bedeutendsten Bauwerke der Renaissance in Deutschland. Angeregt durch die Ausgrabungen in Pompeji ließ König Ludwig I. von Bayern im Schlossgarten das Pompejanum erbauen.

A colorful collage of the beautiful Franconia: Homburg, Schloss Mespelbrunn, Tüchersfeld, Vierzehnheiligen, Rothenburg, Aub – Schäflertanz, Fränkisches Seenland, (f.l.t.r.) — Before being chosen as Archbishop and Elector of Mainz, Johann Schweikhard von Kronberg had to promise to restore the ravaged ruins of Aschaffenburg castle. He kept his word, and between 1605 and 1614 erected this mighty residence of red sandstone, consisting of four wings with a vast tower at each corner. The place by the River Main, is one of the most important of all German Renaissance buildings.

Un collage coloré de la belle-Franconie: Homburg, Schloss Mespelbrunn, Tüchersfeld, Vierzehnheiligen, Rothenburg, Aub – Schäflertanz, Fränkisches Seenland, (d.g.a.d.). Avant d'être élu archevêque et prince-électeur de Mayence, Johann Schweikhard dut promettre de reconstruire le château détruit d'Aschaffenburg. Il tint parole et fit ériger, entre 1605 et 1614, l'impressionnant château de Johannisburg. L'édifice de grès rouge, quatre ailes flanquées de tours d'angle massives, est un des plus beaux exemples du style Renaissance en Allemagne.

Würzburg war schon immer eine Stadt der Türme. Als Kaiser Barbarossa hier Hochzeit hielt mit Beatrice von Burgund, waren rings um den romanischen Dom an die dreißig Kirchen und Klöster zu zählen, und Heinrich von Kleist erlebte die Stadt im engen Tal des Main noch ebenso: „Die Häuser in den Tiefen lagen in dunklen Massen da, wie das Gehäuse einer Schnecke, in die Nachtluft ragten die Spitzen der Türme wie die Fühlhörner eines Insekts." Verwirrend ist auch die Vielfalt der Stile innerhalb des alten Festungsgürtels.

Würzburg has always been a city characterized by towers. When Emperor Frederick Barbarossa married Beatrice of Burgundy here in the Middle Ages there were already some 30 churches, convents and monasteries scattered around the Romanesque cathedral. Heinrich von Kleist described the buildings of the town, which lie in the narrow valley of the Main, as looking "like a snail's house while the tips of the tower reached into the night air like the feelers of an insect".

Würzburg a toujours été une ville de tours. On comptait une trentaine d'églises et de cloîtres autour de la cathédrale romane quand l'empereur Barberousse y épousa Béatrice de Bourgogne. Heinrich von Kleist décrivit ainsi la ville: « Les masses des maisons dans la profondeur ressemblaient à des coquilles d'escargots. Les pointes des tours s'élevaient comme des antennes d'insectes. » Tous les styles, le roman, le gothique et le baroque se côtoient à l'intérieur des anciens remparts de la ville.

Die Fürstbischöfe hatten jahrhundertelang oben auf der Burg gewohnt. Als Johann Philipp Franz von Schonborn in das hohe Amt gewählt war, entschied er schnell über den Bau einer neuen Residenz unten in der Stadt. Er engagierte dafür 1720 den 33-jährigen Balthasar Neumann. In den folgenden Jahrzehnten entstand im Schatten der alten Bastei eine der grandiosesten Residenzen Europas. In dem dazugehörigen, dem Bau angemessenen Park, finden im Sommer während der seit 1922 abgehaltenen Mozartwochen, abendliche Konzerte statt. Seit 1981 ist die Residenz mit Hofgarten und Residenzplatz Weltkulturerbe.

For centuries the Prince-Bishops of Würzburg occupied this castle high above the Main. When Johann Philipp von Schonborn took office, however, he soon decided to establish a new residence in the city below. In 1720 he engaged the architect Balthasar Neumann, then 33, and in the shadow of the old fortress one of Europe's most splendid palaces arose. In the palace and its surrounding park, which was laid out in keeping with the general design, concerts have taken place since 1922, as part of the annual June Mozartfestival.

Durant des siècles, les princes-évêques vécurent dans une forteresse dominant la ville. Quand Franz von Schonborn fut élu à la haute fonction, il chargea Balthasar Neumann alors âgé de 33 ans de bâtir une résidence dans la cité. A partir de 1720, un des plus beaux châteaux d'Europe allait être érigé au pied de l'ancien fort. Chaque année en juin, durant le festival Mozart créé en 1922, des concerts nocturnes ont lieu dans le parc admirable.

Die Residenz der Würzburger Fürstbischöfe gehört zu den bedeutendsten Schlossanlagen des Barocks in Europa. Im Treppenhaus der Residenz verbinden sich zwei Hauptwerke der europäischen Architektur und Malerei zu einem überwältigenden Gesamtkunstwerk. Balthasar Neumann schuf die stützenfreie überwölbte Aufgangshalle, für die Giovanni Battista Tiepolo 1752/53 das größte Deckenfresko der Welt, die „Allegorie der vier Weltteile", anfertigte. Die direkt vom Residenzplatz aus zugängliche Hofkirche stellt als Entwurf von Balthasar Neumann einen Höhepunkt sakraler Kunst in Würzburg dar.

The Würzburg Prince Bishops' Residenz is one of the most outstanding baroque castle complexes in Europe. In the staircase area, two major works of European painting and architecture combine to create a stunning whole: Balthasar Neumann created the unsupported, vaulted entrance hall and Giovanni Battista Tiepolo painted the largest ceiling fresco in the world, the "Allegory of the Four Parts of the Earth". The Court Church, directly accessible from the Residenz square, is the highlight of sacred art in Würzburg, one of Neumann's boldest designs.

La Résidence, palais des princes-évêques de Würzburg, est un des monuments baroques les plus importants d'Europe. Son escalier monumental est un chef-d'œuvre qui réunit deux œuvres majeures de l'architecture et la peinture européennes: Balthazar Neumann réalisa l'escalier dans le hall d'entrée dont le plafond est décoré des célèbres fresques «Les quatre parties du monde» peintes par Giovanni Battista Tiepolo en 1752/53. Neumann conçut également la Hofkirche à laquelle on accède par le Residenzplatz, et qui est une des principales églises de Würzburg.

Im frühen 19. Jahrhundert haben die Romantiker Rothenburg entdeckt. Hier fanden sie eine Stadt, die so unversehrt und schön sonst nirgendwo in Deutschland zu besichtigen war. Eine Stadt, die sich seit dem Mittelalter nur wenig verändert hatte. Rothenburg wurde zum Inbegriff romantischer deutscher Städte. Auch wenn man selbst noch nicht da war, sind die markantesten Blickpunkte jedermann vertraut: das Ensemble des Röderbogens mit dem mächtigen Markusturm, der schlichte Renaissancebrunnen und die weinberankten Fachwerkhäuser der Rödergasse.

The Romantics discovered Rothenburg in the 19th century. They found a beautifully intact town, scarcely changed since the Middle Ages, something to be found nowhere else in Germany. Rothenburg became the essence of a Romantic German town, the most prominent focal points are familiar even to those who have never been there. One of the most splendid images is the ensemble of Röder arch and mighty Mark's Tower, with the simple Renaissance fountain and the vine-covered timbered houses of the Rödergasse.

Les romantiques découvrirent Rothenburg au début du XIXe siècle. Ils trouvèrent une ville n'ayant aucune égale en Allemagne: une cité médiévale qui avait gardé quasiment intacte sa physionomie d'autrefois. Rothenburg incarne l'idée que l'on a d'une ville romantique allemande. Grâce aux affiches publicitaires, quelques-uns de ses coins les plus pittoresques sont connus dans le monde entier: l'hôtel de ville Renaissance ou l'ensemble formé par la tour « Markusturm », la fontaine Renaissance et les maisons à colombages de la Rödergasse.

„Ich rüm dich Haidelberg", sang Oswald von Wolkenstein im Mittelalter, und 1927 hieß es dann im Operettenton: „Ich hab mein Herz in Heidelberg verloren." Hier sammelten Brentano und Achim von Arnim die Lieder für „Des Knaben Wunderhorn", in ihrem Umkreis von Malern und Dichtern entstand die Heidelberger Romantik, eine der bedeutenden Epochen der deutschen Kulturgeschichte. Beliebtes Motiv war schon damals das Schloss hoch über dem Neckar, jahrhundertelang ein Palast, seit 1693 eine Ruine – doch stimmungsvoll wie eh und je.

"Heidelberg, I praise thee", sang the much-travelled mediaeval poet Oswald von Wolkensein, "I lost my heart in Heidelberg", carolled the singers of the nineteen-twenties in a romantic foxtrot. Heidelberg (see next pages), one of the most famous cities in Germany, has long been an inspiration for poets and painters. It also has one of Germany's oldest universities and a good many scientific institutes, but it is the old bridges, the Baroque houses and the great castle overlooking the town that make Heidelberg into one of Germany's best known tourist attractions.

«Je te loue Heidelberg», chantait Oswald von Wolkenstein à la fin du Moyen Age. C'est dans cette ville universitaire réputée que Brentano et Achim von Arnim composaient les chansons pour «le Cor merveilleux de l'enfant». Le romantisme d'Heidelberg, une des périodes les plus importantes de la culture allemande, naquit dans le groupe de poètes et de peintres dont faisaient partie les deux artistes. Un des motifs préférés de l'époque était déjà le château en ruines, mais si impressionnant, qui domine le Neckar.

Mit über 320.000 Einwohnern zweitgrößte Stadt Baden-Württembergs, verbindet sich in Mannheim die Dynamik einer Industrie- und Einkaufsstadt mit dem Charme einer Großstadt voller Kultur- und Freizeitmöglichkeiten. Im 17. Jahrhundert wurde Mannheim am Zusammenfluss von Rhein und Neckar im Schachbrettmuster angelegt. An der Rheinseite erstreckt sich eines der größten Schlösser der Welt. Es wurde nach Zerstörung im Zweiten Weltkrieg originalgetreu rekonstruiert. Wahrzeichen Mannheims ist der vor über hundert Jahren erbaute, 60 Meter hohe Wasserturm am Friedrichsplatz.

With a population of over 320,000, Mannheim is the second-largest city in Baden-Wurttemberg. It combines the dynamism of a modern industrial and shopping centre with the charm of a city full of culture and leisure facilities. The city was founded in the 17th century at the confluence of the Rhine and Neckar, and designed on a grid system. One of the largest castles in the world extends along the Rhine. It has been restored to its former state, having been destroyed in the Second World War. Mannheim's major landmark is the 60-metre high water tower on Friedrich Square.

Deuxième ville du Bade-Wurttemberg avec plus de 320 000 habitants, Mannheim est une ville industrielle et commerçante dynamique, également dotée de nombreux attraits culturels et possibilités de loisirs. Construire au XVIIe siècle en échiquier, la ville s'étend au confluent du Rhin et du Neckar. Un des plus grands châteaux du monde se dresse du côté du Rhin. Détruit durant la Seconde Guerre mondiale, il a été restauré à l'identique. Le Wasserturm, tour de 60 m de haut bâtie au tournant du XXe siècle, qui domine le Friedrichsplatz, est le symbole de la ville, un monument célébrant l'ère de l'industrialisation.

Worms ist eine geschichtsträchtige Stadt. Eine Stadt, die sich mit der Nibelungen-Sage verbindet. Das heutige Stadtgebiet war von Kelten und später von den Römern besiedelt. 1521 sprach Martin Luther vor dem Reichstag die viel zitierten Sätze: „Hier stehe ich, ich kann nicht anders. Gott helfe mir. Amen." Der Dom St. Peter im spätromanischen Baustil ist die größte Sehenswürdigkeit Worms. Er wurde im 12. Jahrhundert erbaut. Beeindruckend ist der im 18. Jahrhundert von Balthasar Neumann entworfene Hochaltar, sowie die Skulpturen am Ostchor und am Südportal.

Worms, formerly home to the Nibelungen, is a city laden with history. The area of the town center was settled first by the Celts, later by the Romans. It was here that Martin Luther pronounced his famous words before the Imperial Diet in 1521: "Here I stand, I cannot do otherwise. So help me God, amen." The most important sight of Worms is the late Romanesque St Peter's Cathedral. Built in the 12th century, the high altar by Balthasar Neumann and the sculptures both of the east choir and the south portal are especially impressive.

Worms a un grand passé historique. Elle est le berceau des « Nibelungen ». Le territoire de la ville actuelle a d'abord été colonisé par les Celtes, puis par les Romains. En 1521, Martin Luther prononça devant la Diète ces phrases devenues célèbres: « Je suis ici, je ne peux pas faire autrement. A la grâce de Dieu. Amen. » La cathédrale Saint-Pierre, bâtie au XIIe siècle en style roman tardif, est le monument le plus important de Worms. Particulièrement impressionnants sont le maître-autel de Balthasar Neumann et les sculptures du chœur.

Speyer ist es gelungen, die unverwechselbare Identität der Dom- und Kaiserstadt, das kulturelle Erbe, zu bewahren und gleichzeitig sich als selbstbewusste und wirtschaftlich aufstrebende Stadt der Neuzeit zu entwickeln. Mit ihrer über 2000-jährigen Geschichte gehört die Stadt zu den ältesten Siedlungen Deutschlands. Speyer liegt am Rhein. Mit seinem milden Klima und dem fruchtbaren Boden bietet dieses Gebiet optimale Bedingungen für den Anbau von Obst, Gemüse und Tabak. Die bedeutendste Sehenswürdigkeit Speyers ist der im Jahre 1061 geweihte Dom.

Speyer has succeeded in retaining its unmistakable identity as a cathedral city with an imperial heritage, and while guarding its cultural legacy, has at the same time developed into a self-confident and commercially ambitious modern community. The city, situated on the Rhine, can look back on 2000 years of history, which makes it one of the oldest places of Germany. Thanks to its mild climate and fertile soil the area is optimal for growing fruit, vegetables and tobacco. The most important sight of Speyer is the cathedral which was dedicated in 1061.

Spire a su garder son identité de cité historique impériale, riche d'un important héritage culturel, mais s'est aussi développée pour devenir une ville moderne, en plein essor économique. Fondée il y a plus de 2.000 ans, la ville sur le Rhin est une des plus anciennes agglomérations d'Allemagne. Grâce à son climat doux et son sol fertile, cette région réunit des conditions idéales pour la culture des fruits, des légumes et du tabac. La cathédrale (Dom), inaugurée en 1061, est le monument principal de Spire.

Im Saarland, als Industrierevier für Kohle und Stahl über Generationen geprägt, sind heute die meisten Gruben stillgelegt. Einige Betriebe dienen nun als Industriedenkmäler. Verlockend ist die urige Landschaft am Felsenpfad in Kirkel oder der Weinanbau bei Nennig, herrlich der Blick in die Landschaft über der Saarschleife, sowie die Burgen und Hinterlassenschaften der Römer. Der Saarländer hat Freude am Leben. Das drückt sich in vielen Bereichen aus, nicht zuletzt auch bei der Arbeit und im Beruf. Vor allem isst und trinkt man gerne.

For generations the Saarland was a region of heavy industry, its skyline dominated by coal mines and iron foundries. A few remain as industrial monuments. The state has its charms, such as the picturesque upland path in Kirkel, the vineyards near Nenning or the view over the great Saar meander, with many local Roman remains. In addition, the Saarlanders enjoy life, and that is expressed in all sorts of ways, not least when they are at work. Above all, they enjoy their food and drink.

Pendant des générations, l'acier et le charbon ont dessiné la physionomie de la région industrielle qu'était la Sarre. Des mines ont été transformées en monuments ou musées de la technique. Les superbes paysages au Felsenpfad à Kirkel et les vignobles près de Nenning, raviront les visiteurs, de même que les vues splendides sur les méandres de la Sarre, avec ses rives où l'on découvre châteaux forts et vestiges romains. Par ailleurs, en Sarre, on jouit de la vie, ce qui s'exprime dans bien des domaines y compris celui du travail. On aime notamment bien manger et bien boire.

Der Markgraf Karl-Wilhelm suchte einst den Fächer seiner Frau. Als er dabei im Hardtwald einschlief, träumte er von einer Stadt, die aussah wie ein Fächer. Das ist weit mehr als nur eine Anekdote: Am 17. Juni 1715 legte der Markgraf den Grundstein für ein Jagdschloss „Carlos-Ruhe". Von hier aus führten 32 Schneisen strahlenförmig in den Wald. Inzwischen ist die Stadt vom Schloss bis an den Rhein gewachsen, doch noch heute zeigt sie im Grundriss den absolutistischen Einfall seiner Gründungszeit. Hier in Karlsruhe befindet sich heute auch das Bundesverfassungsgericht.

Margrave Karl-Wilhelm, so the story goes, fell asleep in the Hardtwald forest one day whilst looking for a fan his wife had lost there. He dreamt of a city shaped like a fan. On June 17, 1715 the Margrave laid the foundation stone for a hunting lodge which he called "Carlos-Ruhe" – Carlo's Rest. Thirty-two lanes led out into the forest from the lodge like the spokes of a wheel. Today the town has spread from the palace down to the Rhine but its layout still clearly reveals the absolutist concept behind its creation: Like warmth from the sun, all grace emanates from the Regent.

Le margrave Charles-Guillaume était à la recherche d'un éventail que son épouse avait perdu. Il s'endormit dans le « Hardtwald » et rêva d'une ville en forme d'éventail. Cette his-toire est plus qu'une anecdote: le 17 juin 1715, le margrave posait la première pierre d'un château de chasse, le « Carlos-Ruhe » ou Repos de Charles, d'où 32 laies présentant une symétrie radiaire, partaient vers les bois. La ville aujourd'hui s'étend jusqu'au Rhin, mais on peut encore distinguer l'idée absolutiste de son fondateur: une vision de roi-soleil.

Stuttgarts Schlossplatz wurde als einer der letzten großen Schlossanlagen im Zeitalter des ausgehenden Barocks (Ende des 18. Jh.) als Rechteck angelegt und bildet den repräsentativsten sowie urbansten Platz der Stadt: Fast alle historischen Gebäude liegen in unmittelbarer Nähe. Im Mittelpunkt des Schlossplatzes erhebt sich die 30 Meter hohe Jubiläumssäule, die 1841 zum 25-jährigen Regierungsjubiläum von König Wilhelm I. errichtet wurde. Die Stiftskirche ist das Wahrzeichen und älteste evangelische Kirche in Stuttgart.

The New Palace, one of the last great town residences erected in Germany, was built in several stages between 1751 and 1806. Its achitecture ranges from Baroque to classical. In front of the palace there is the rectangular Schlossplatz, the most elegant showpiece among Stuttgart's squares: Nearly all the city's historically interesting buildings are in the vicinity. In the centre of the Schlossplatz stands the 100 feet high Jubilee Column, erected in 1841 to celebrate the silver jubilee of King Wilhelm I. The Stiftskirche is the landmark and oldest Evangelist church in Stuttgart.

Le château, une des dernières grandes résidences d'Allemagne à être édifiée, fut construit entre 1751 et 1806 dans le style baroque et ensuite dans le style néo-classique. Son admirable place rectangulaire est un des espaces les plus animés de la ville. En son milleu se dresse la colonne du Jubilé, haute de 30 mètres, un don du roi Guillaume I pour célèbrer le 25e anniversaire de son avénement au trône en 1841. Le église Stiftskirche, le symbole et la plus vieille église évangélique à Stuttgart.

Stuttgart ist die Hauptstadt des Kunstgebildes Baden-Württemberg, und dies mit großem Erfolg. Das Land der Weingärtner, der Schwaben und der Badener gilt heute stolz als „Musterländle", führend in moderner Technologie. Auch die Landeshauptstadt umspannt diese scheinbaren Gegensätze: Stuttgart ist noch immer die drittgrößte Weinbaugemeinde im Südwesten und die Heimat des Automobilbaus. Als Schiller hier die Militärakademie besuchte, war der Schlossplatz ein sandiger Exerzierplatz. Heute lädt er zum Bummeln ein.

Stuttgart is the flourishing capital of the state of Baden-Wurttemberg, a region famous for its wine and its industry. And these two quite contrasting sectors also determine the economic life of Stuttgart. It is still the third biggest wine-growing town in the south-west and also a major car manufacturing centre. When Friedirch Schiller attended the military academy here, the Schlossplatz square was a sandy parade ground. Today it is a pleasant place for a stroll.

Stuttgart est la capitale cultivée et prospère du Bade-Wurttemberg. La contrée des vignobles, des Souabes et des Badois s'enorgueillit aujourd'hui d'être un « Land » modèle, à la tête de la technologie moderne. Stuttgart est à la fois le fief de construction automobile et la troisième ville viticole du Sud de l'Allemagne. La cour du château servait à l'exercice à l'époque où Schiller fréquentait l'académie militaire. C'est un lieu de promenade favori aujourd'hui.

Eine Residenz europäischen Zuschnitts nach dem Vorbild von Versailles ließ sich Württembergs Herzog Eberhard Ludwig ab 1704 erbauen. Baumeister, Maler und Stuckateure aus ganz Europa wirkten daran mit. Als erster Bauabschnitt entstand das Corps de Logis auf diesem Bild, an das sich später weitere großzügige Gebäude mit insgesamt 452 Sälen, Salons und Kabinetts anschlossen. Umgeben wird Schloss Ludwigsburg von der ständigen Gartenausstellung „Blühendes Barock". Und auch die nach dem Herzog benannte Stadt Ludwigsburg entstand ganz in barockem Baustil.

This residence of European grandeur was begun by Duke Eberhard Ludwig of Württemberg in 1704. Architects, painters and stucco artists from all over Europe worked on the complex, based on the Palace of Versailles. The Corps de Logis in the pictures was the first section to be built, to which further buildings on a grand scale were added, with a total of 452 rooms, salons and cabinets. It surrounded by a permanent garden exhibition called Baroque on Bloom. The town named after Duke Ludwig was designed in the baroque style he loved.

Le duc wurtembourgeois Eberhard Ludwig fit construire, à partir de 1704, une imposante résidence sur le modèle de Versailles et engagea à cet effet des architectes, peintres et autres artistes de toute l'Europe. La première partie bâtie fut le Corps de Logis que l'on voit sur la photo, et auquel s'ajoutèrent plus tard plusieurs édifices tout aussi magnifiques, pour former un ensemble de 452 salles, salons, cabinets et autres pièces. Une exposition florale « baroque en fleurs » a lieu annuellement dans le parc du château. La ville, fondée par le duc et nommée d'après lui, est également marquée par le style baroque.

Tübingens historischer Stadtkern zieht sich über einen Höhenzug zwischen zwei Flüssen. Ein Gewirr von Gassen und Winkeln mit zahlreichen Fachwerkhäusern durchzieht die Altstadt, über der das Renaissance-Schloss Hohentübingen thront. Von der Neckarbrücke aus bietet Tübingen sein eindrucksvollstes Panorama mit Schloss, Hölderlinturm und gotischer Stiftskirche. – Eines der schönsten Gebäude der Stadt ist das Renaissance-Rathaus am dreieckigen Marktplatz mit astronomischer Uhr und Sgrafittomalereien. Davor steht der figurenreiche Neptunsbrunnen von 1617.

Tuebingen's historic town centre extends across a ridge between two rivers. The Old Town is criss-crossed by a warren of lanes and alleyways with a large number of timbered buildings, above them all the Renaissance Castle Hohentuebingen. The best panoramic view of the town with the castle, Hölderlin Tower and Gothic Collegiate Church you have from the Neckar bridge. – One of the town's finest buildings is the Renaissance town hall on the triangular market square with its astronomical clock and sgraffito paintings. In front of it is the 1617 Neptune Fountain with its sculpted figures.

Le cœur historique de Tuebingen s'étend sur une hauteur entre deux rivières. Un fouillis de ruelles tortueuses bordées de maisons à pans de bois est couronné par le château Renaissance de Hohentuebingen. C'est depuis le pont du Neckar qu'on découvre le plus beau panorama de la ville avec le château, la Tour d'Hölderlin et la Stifts-kirche, église de style gothique. – Situé sur la place triangulaire, l'hôtel de ville Renaissance à la façade ornée d'une horloge astronomique et de peintures, est un des plus beaux édifices de la cité. Devant, se dresse la fontaine de Neptune, aux superbes sculptures.

Auf steilem Bergkegel vor der Hochfläche der Schwäbischen Alb erhebt sich die berühmteste und am meisten besuchte Burg des Landes: Hohenzollern. Schon im 11. Jahrhundert entstand hier die erste Burg, die 1423 zerstört wurde. Die zweite verfiel nach dem Dreißigjährigen Krieg. Als 1819 der junge preußische Kronprinz den Stammsitz seiner Ahnen besuchte, war er von der Ruine so tief beeindruckt, dass er sich den Wiederaufbau in den Kopf setzte – und ihn ab 1850 in Angriff nahm. So entspricht die heutige, 1856 eingeweihte dritte Zollernburg ganz der Burgenromantik des 19. Jahrhunderts.

The most famous and most visited castle in the region, Hohenzollern, rises up on a cone-shaped mountain before the Swabian table-lands. The first castle was built here in the 11th century, but was destroyed in 1423. The second fell into disrepair after the Thirty Years War. In 1819 the young Prussian crown prince visited the castle of his ancestors and was so impressed by the ruins that he made up his mind to rebuild it – a task he set about in 1850. Thus the present and third Hohenzollern Castle, officially opened in 1856, is an example of 19th century romanticism.

Hohenzollern, le château le plus visité de la région, s'élève sur un cône abrupt devant le haut-plateau du Jura souabe. Dès le XIe siècle, un château féodal, détruit en 1423, se dressa à cet endroit. Le deuxième château tomba en ruines après la guerre de Trente Ans. Lorsque le jeune prince héritier prussien visita le berceau de sa famille, en 1819, il fut si impressionné par les vestiges qu'il se mit en tête de reconstruire le château de ses ancêtres. C'est ainsi que le troisième château des Hohenzollern, commencé en 1850, fut inauguré en 1856. Il illustre parfaitement le mouvement romantique architectural du XIXe siècle.

Während es im Rheintal schon blühende Städte mit hoher Kultur gab, blieb der Schwarzwald jahrhundertelang kaum besiedelter Urwald. Lange Zeit mieden die Menschen dieses Bergland mit seinen Furcht erregenden dunklen Wäldern, die aus der Ferne fast schwarz aussehen und dem Gebirge seinen Namen gaben. Erst allmählich zogen die Menschen Ende des 19. Jahrhundert unter der Führung der Klöster tiefer ins Innere auf die Höhen des Schwarzwalds und begannen mit der Kultivierung. Heute ist der Schwarzwald mit 23.000 km bezeichneter Wanderwege eines der am besten erschlossenen Waldgebiete Europas.

There were flourishing towns in the Rhine valley long before any settlements appeared in the Black Forest. People shunned the fearsome mountains with their dark forests that look black from distance, giving the area its name. A thousand years ago, however, monks arrived and started to cultivate the central parts of the forest. Today the Black Forest has 14,375 miles of marked footpaths and as a hiking area can vie with any other region in Europe.

Durant des siècles, la Forêt-Noire est restée une région déserte alors que la vallée du Rhin s'enorgueillissait de villes florissantes, connaissant déjà un haut niveau culturel. Les hommes évitèrent pendant longtemps cette montagne aux forêts effroyablement sombres et qui paraissent si noires vues de loin, qu'elles ont donné leur nom au massif. C'est seulement vers l'an mille que des moines entraînèrent les hommes à l'intérieur et sur les hauteurs de la Forêt-Noire pour y cultiver la terre. Aujourd'hui en outre, avec ses 23 000 km de sentiers pédestres admirablement indiqués, la Forêt-Noire.

Freiburg liegt in einer Einbuchtung der Rheinebene im Schwarzwald, der Freiburger Bucht, in der ein ausgesprochen mildes Klima herrscht. Die Gegensätze zwischen den nahen Schwarzwaldhöhen und den oft südlichen Temperaturen machten Freiburg seit seiner Gründung, durch die Zähringer Grafen um 1120 sehr anziehend. Schon rasch wurde es zur Hauptstadt des Breisgaus. Von 1368 bis 1805 gehörte Freiburg zu Österreich. Charakteristisch sind die offenen Wasserläufe, die „Bächle", durch die klares Wasser aus dem Schwarzwald durch die Stadt plätschert.

Near the Rhine, in a sheltered valley that cuts into the edge of the Black Forest, stands Freiburg, a town that enjoys an exceptionally mild climate. Ever since its foundation by the Zähringer family in about 1120, Freiburg has always offered a pleasant contrast to the harsh windswept heights of the nearby mountains. It fast won importance as the capital of the Breisgau area, though it fell to Austria from 1368 to 1805. A feature of Freiburg is the number of clear streams which swirl down from the hills to course alongside the streets of the Old Town.

Fribourg s'etend dans une anfractuosité de la plaine rhénane dans la Forêt-Noire et jouit d'un climat exceptionellement tempéré. La différence entre ses températures douces d'avec celles rigoureuses des hauteurs proches de la Forêt-Noire fait de Fribourg une ville très appréciée et cela depuis sa création par les Zähringer vers 1120. Elle devint bien vite la capitale du Breisgau et appartint à l'Autriche de 1368 à 1805. Une de ses caractéristiques sont les petits ruisseaux d'eau claire de la Forêt-Noire qui courent le long de rues.

Die schönsten barocken Bauwerke sind durch die Oberschwäbische Barockstraße touristisch aneinandergebunden. Sie führen zu den Höhepunkten barocker Baukunst. Wenn Sie von Konstanz mit der Fähre nach Norden fahren, dann sehen Sie schon von weitem die Fassade des Meersburger Barockschlosses, Sitz der Konstanzer Fürstbischöfe. In Richtung Überlingen kommen Sie zu einer einzigartigen Komposition aus Stuck und Fresken, der Klosterkirche Birnau, die von Peter Thumb geschaffen und von Josef Anton Feuchtmayer innenarchitektonisch ausgestaltet wurde.

The finest buildings of all kinds in the region are linked by the Upper Swabian Baroque Road and several other minor tourist routes. They take in all the highlights of baroque architecture. If you leave Konstanz by ferry and travel north, you'll see from afar the facade of Meersburg's baroque palace, seat of the prince-bishops of Konstanz. On the way to Ueberlingen you reach Maurach and the monastery church of Birnau, a unique composition of stucco work and frescoes, designed by Peter Thumb, the interior decorated by Josef Anton Feuchtmayer.

La Route baroque de la Haute-Souabe et ses routes secondaires conduisent aux architectures les plus intéressantes de la région. En partant de Constance vers le nord, à bord d'un bateau, on découvre de loin la façade de l'admirable château baroque de Meersburg, siège des princes-évêques de Constance. En direction d'Überlingen, après Maurach, se dresse la belle église baroque de Birnau, édifiée en 1749 par le célèbre architecte Peter Thumb et décorée de stucs splendides dus à Joseph Anton Feuchtmayer.

Der Bodensee ist der drittgrößte Binnensee in Mitteleuropa. Ein witziger Kopf hat vor einiger Zeit ausgerechnet, dass man, wenn jedem nur ein Stehplatz zugebilligt würde, die Weltbevölkerung auf der Grundfläche des Bodensees unterbringen könnte. Seit der jüngeren Steinzeit, seit 12.000 Jahren also, ist der Bodenseeraum besiedelt. Heute verbindet und trennt der Bodensee gleich drei Staaten: Deutschland, Österreich und die Schweiz. Aber die Grenzen nimmt man nicht so genau. Das passt ganz gut zu der Gegend, wo nicht nur ein mildes, mediterranes Klima herrscht; gelassen ist auch die Einstellung zum Leben.

Lake Constance is the third largest inland water-lake in Europe. A joker recently worked out that the whole of the world's population could be accommodated on the surface area of the lake if everybody was given standing room only. Settlement of the region around Lake Constance began in the late Stone Age, about 12,000 years ago. Today Lake Constance links and separates three states: Germany, Austria and Switzerland. But the borderlines are not exactly precise. This is fitting for an area where there is not only a mild, mediterranean climate, but where also a more free-and-easy attitude to life has developed.

Le lac de Constance, appelé Bodensee en langue allemande, est le troisième lac d'Europe Centrale après le lac de Genève et le lac Balaton en Hongrie. Récemment, un esprit futé a calculé que la surface du lac de Constance pourrait accueillir tous les habitants de la terre - serrés bien sûr comme des sardines. La région est habitée depuis le néolithique, à savoir depuis 12.000 ans. Aujourd'hui, le lac de Constance relie et sépare à la fois trois pays, l'Allemagne, l'Autriche et la Suisse. Cela rejoint tout à fait la conception sereine de la vie qui, comme le climat méditerranéen, marquent ce terroir.

Nur zwei Häuserzeilen zwängen sich in der Unterstadt von Meersburg zwischen Bodenseeufer und steil aufsteigenden Hang. Dort oben dominieren zwei Schlösser. Einmal das Alte Schloss, welches vom 900 Jahre alten Dagobertsturm überragt wird. Hier wohnte viele Jahre lang die Dichterin Annette von Droste-Hülshoff. Neben dieser mittelalterlichen Burg bildet das Neue Schloss in seiner barocken Pracht einen starken Kontrast. Im 18. Jahrhundert wurde es als Sommersitz der Fürstbischöfe von Konstanz genutzt.

There are just two rows of houses squeezed in between the shore of the lake and the steep slope leading up from the Lower Town of Meersburg, dominated from up above by two castles. On the one hand the Old Castle with its massive 900-year-old Dagobert's Tower. The poetess Annette von Droste-Hülshoff lived here for many years. And on the otherhand, the magnificent New Castle in the baroque palace style, in sharp contrast to the older medieval building. It was built in this spectacular location in the 18th century as a summer residence for the prince-bishops of Konstanz.

Seulement deux rangées de maisons se pressent entre une rive du lac de Constance et le versant abrupt où s'accrochent les autres quartiers de Meersburg. Deux châteaux surplombent la ville. L'un est l'Ancien-Château dominé par la massive tour de Dagobert du XIIe siècle où la poétesse Annette von Droste-Hülshoff vécut de nombreuses années. Voisin de cet édifice médiéval, le Nouveau-Château de style baroque forme un contraste étonnant. Construit au XVIIIe siècle, dans un emplacement superbe, comme résidence d'été des princes-évêques de Constance.

Berühmte Inseln hat der Bodensee: Mainau ist weit kleiner als Reichenau und kleiner auch als Lindau – für Blumenfreunde aber ist das 45 Hektar große Eiland ohne Konkurrenz die größte. Schon 1827 pflanzte hier Fürst Esterhazy fremdländische Bäume an, seit 1930 gehört die Insel Graf Lennart Bernadotte, der sie zum Blumenparadies verwandelt hat. Rund um das Schloss, der alten Komturei des Deutschherrenordens aus dem 18. Jahrhundert, verwandelt Mainau sich von März bis Oktober in ein Blütenmeer mit eigenen Gezeiten.

The islands of Lake Constance all have their own interesting history. Mainau, which is privately owned by a member of the Swedish Royal Family, is a gardener's paradise with magnificent flowers, trees and exotic plants. Lindau was once one of the area's most important trading centres. Reichenau, the largest island, lies at the eastern end of the lake. In the 8th century, an Irish monk settled here and founded the Benedictine monastery of Mittelzell, later one of the most significant cultural centres north of the Alps.

Le lac de Constance possède des îles bien connues. Mainau est plus petite que Reichenau et Lindau, mais les amateurs botanistes s'enthousiasment pour cet îlot de 45 hectares. En 1827, le prince Esterhazy y faisait planter des espèces rares d'arbres. Depuis 1930, l'île appartient au comte Lennart Bernadotte qui l'a transformée en un paradis fleuri. De mars à octobre, une marée de fleurs entoure le château, ancienne commanderie de l'ordre teutonique du XVIIIe siècle.

Wie ein Traum aus Hollywood liegt Neuschwanstein hoch über der Pöllatschlucht. Doch nicht Walt Disney führte hier Regie, es war ein königlicher Einfall, dem Neuschwanstein seine Existenz verdankt. Der exaltierte Bayernkönig Ludwig II., eher ein Freund von Richard Wagner als ein Freund der Politik, ließ nach 1868 hier ein Schloss errichten, „im echten Stil der alten deutschen Ritterburgen", wie er glaubte: Es entstand ein Märchen ganz in Weiß, innen auf das prächtigste gestaltet und ausgemalt mit Motiven aus der deutschen Mythologie.

Situated high above the Pöllat gorge, the palace of Neuschwanstein looks like some Hollywood producer's dream. But its history goes back further than that of the silver screen. The palace was commissioned in 1868 by King Ludwig II of Bavaria, an eccentric monarch who was more interested in the music of Richard Wagner than in politics. And he ordered it to be built in the "style of the ancient German knights' castles". To Ludwig this meant a splendid fairy-tale edifice built of white stone and decorated inside with motifs from the german mythologie.

Le château de Neuschwanstein qui se dresse au-dessus de la gorge de Pöllat, évoque un décor hollywoodien. Il n'est pourtant pas sorti de l'imagination de Walt Disney, mais de celle d'un jeune roi exalté et romantique. Louis II de Bavière, plus proche de Wagner que de la politique, fit ériger à partir de 1868 un château « dans le vrai style des anciens châteaux des – chevaliers allemands ». Un conte de fée tout blanc, somptueusement aménagé et décoré à l'intérieur de motifs les mythologie allemand.

Linderhof im nahen Graswangtal sieht aus wie ein Kleinod des Rokoko, aufbewahrt wie eine Perle inmitten einer kunstvoll überhöhten Landschaft. Auch dies ist eines der Bayerischen Königsschlösser Ludwig II. Heute ist es eine traumhafte Sehenswürdigkeit, die ahnen lässt, wie es in Bayern vor einem Jahrhundert mit der Staatsfinanz bestellt war. 1886 wurde der menschenscheue König entmündigt und seine Minister kamen erstmals nach Neuschwanstein, um ihn von seiner Absetzung zu unterrichten.

Linderhof in the nearby Graswang valley looks like a Rococo pearl embedded in a landscape that has been raised up artificially. It, too, was commissioned by King Ludwig of Bavaria who was intoxicated with the past because he could not cope with the present. Looking at his dream palaces, it is not hard to imagine the parlous financial state Bavaria was at a century ago. In 1886 the reclusive king was declared unfit to rule. His ministers paid their first visit to Neuschwanstein to inform him that he had been deposed.

Le château de Linderhof, dans la vallée proche de Graswang, ressemble à un joyau baroque serti dans un paysage précieux. Louis II. qui fuyait le présent, voulait un cadre dans lequel il pourrait revivre les fastes du passé. Ses folles dépenses vidèrent les caisses de l'Etat bavarois. En 1886, les ministres du roi se rendirent pour la première fois au château de Neuschwanstein : Ils venaient notifier sa déchéance au jeune monarque misanthrope.

Neben den herrlichen Königsschlössern gibt es auch das schönste bayerische Barock im „Pfaffenwinkel", wie der Landstrich wegen seiner vielen Kirchenbauten heißt. Um 1330 hatte Kaiser Ludwig hier ein Kloster bauen lassen. Das brannte 1774 nieder und wurde nun ein zweites Mal erbaut – mit einer gewaltigen barocken Kuppel, die den zwölfeckigen Vorgängerbau aus der Gotik buchstäblich ins Monumentale überhöht. Im nahen Hügelland steht auch das Diadem im Kranz barocker Kirchenbauten: die Wieskirche von Dominikus Zimmermann.

In addition to the products of Ludwig's fantasy, Bavaria also has many outstanding Baroque ecclesiastical buildings to offer like the monastery at Ettal. Built around 1330 by Emperor Ludwig, it burnt down in 1774 but was reconstructed and given a Baroque dome which turned the former twelve-sided Gothic building into a monumental structure. Located in the hilly region nearby is a gem among Baroque churches: the Wieskirche built by Dominicus Zimmermann.

Outre les créations de Louis II., le coin des dévots ainsi qu'on nomme cette contrée où pullulent les églises, abrite également de très beaux édifices baroques. En 1330, l'Empereur Ludovic de Bavière avait fait construire un cloître en cet endroit. Après son incendie en 1774, il fut rebâti et surhaussé d'une impressionnante coupole baroque. Un des joyaux de l'art rococo bavarois se dresse sur une colline environnante: l'église de pèlerinage de Wies bâtie par Dominikus Zimmermann.

Die Schnitzer von Oberammergau standen schon im Jahre 1520 in dem Ruf, das Leiden Christi so zierlich zu schnitzen, dass man es in einer Nussschale unterbringen konnte. Seit der Pest von 1633 bringen sie es lebensgroß zur Geltung. Sie hielten ein Gelübde und spielten 1634 erstmals ihr Passionsspiel. Seit 1680 wird es alle zehn Jahre aufgeführt, früher in der Kirche, heute im eigenen Festspielgebäude. Doch immer, wie sie es versprachen, mit den eigenen Leuten: Neun Sommer lang wird hart gearbeitet, im zehnten Jahr ist man Apostel.

Even in 1520 the wood-carvers of Oberammergau had the reputation of portraying Christ's Passion so delicately that it could fit into a nutshell. In 1634, in fulfilment of a vow made during an outbreak of the plague, the people of Oberammergau performed a passion play for the first time. Since 1680 it has been given at ten-year intervals. The play used to be staged in the church but is now performed in a special building. And, as they promised in their vow, the passion play is performed only by the villagers themselves, who rehearse every summer for nine years.

En l'an 1520, les sculpteurs sur bois du village avaient déjà la réputation de sculpter des scènes si délicates de la Passion de Jésus-Christ qu'elles tenaient dans une coquille de noix. Après une épidémie de peste en 1633, ils firent le vœu de recréer le supplice du Christ, grandeur nature, tous les dix ans. Cette représentation de la Passion qui se déroulait autrefois dans l'église, a maintenant son propre théâtre. Les villageois, agriculteurs ou artisans de la commune, deviennent apôtres à chaque décennie.

Schon seit den Römertagen brachte die Straße von Italien Handelsleute in den Ort „mitten im Scharnitzwald". Als die Venezianer 1485 ihren Markt von Bozen hierher verlegten, belebte sich das Geschäft. Das Karwendelgebirge ist ein Teil der Nördlichen Kalkalpen. Es besteht aus mehreren Gebirgsketten und ist gekennzeichnet durch schroffe, steil aufragende, kahle Felswände und -gipfel, die meist zwischen 2.100 und 2.749 Meter Höhe erreichen.

A trade route from Italy has passed through Mittenwald – the middle of the wood – since Roman times and its influence here has been inestimable. The Karwendel range is part of the northern, calcareous Alps. It consists of several chains of mountains and is characterised by precipitous, steeply soaring bare rock walls and peaks, most of which reach a height of between 2,100 und 2,749 metres.

Depuis l'époque romaine, la route venant d'Italie amenait des commerçants dans cette localité «au milieu du Scharnitzwald». Le Karwendelgebirge fait partie des Alpes calcaires du Nord. Ce massif comprend plusieurs chaînes de montagnes caractérisées par des parois rocheuses et des pics abrupts et dénudés qui atteignent 2100 à 2749 mètres.

Wer zu dem bekannten Wintersportplatz lässig „Garmisch" sagt, dem kann es passieren, dass er schief beguckt wird: Erst 1936, anlässlich der Olympischen Winterspiele, wurden die getrennten Orte Garmisch und Partenkirchen zusammengelegt. Der Kurort liegt am Nordhang des Wettersteingebirges mit Deutschlands höchstem Gipfel, der Zugspitze. Niemand bezweifelt, dass die Zugspitze mit 2963 Metern Deutschlands höchster Berg ist. Der Berg gehört aber zwei Ländern: über den Gipfel verläuft die Grenze zwischen Deutschland und Österreich.

It isn't considered tactful to refer to the famous winter sports resort as simply „Garmisch". After all, it was only in 1936 that Garmisch and Partenkirchen were amalgamated, for the Winter Olympics. The resort is situated on the north slope of the Wetterstein Mountains, which includes the Zugspitze, at nearly 10,000 feet Germany's highest mountain. No one doubts that the 2,963 metre Zugspitze is the highest mountain in Germany. Nevertheless, this is still a half-truth. The mountain actually belongs to two countries, for the border between Austria and Germany runs directly over the peak.

On peut vous regarder de travers si vous dites Garmisch en parlant de la célèbre station de sport d'hiver. Elle s'appelle Garmisch-Partenkirchen depuis que les deux villages ont été réunis à l'occasion des sports olympiques d'hiver de 1936. La station est située sur le versant Nord du massif de « Wetterstein » que domine le plus haut sommet d'Allemagne. Tout le monde sait que la Zugspitze, haut de 2.963 mètres, est le massif culminant de l'Allemagne. Ce n'est pourtant qu'une demi-vérité car le massif appartient à deux pays: la frontière entre l'Allemagne et l'Autriche court le long de son pic.

Als Ludwig I. 1825 den Bayernthron bestieg, gelobte er, aus München eine Stadt zu machen, „die Teutschland so zur Ehre gereichen soll, dass keiner Teutschland kennt, wenn er nicht München gesehen hat". Unter ihm und Max II. entstanden die Prachtboulevards, die Ludwig-straße und das Maximilianeum, der heutige Sitz des bayerischen Landtages. Theodor Fontane sagte, München sei „die einzige Stadt, wo Künstler leben können". Zur Zeit des zweiten Ludwig lebten allein 7000 Bildhauer und Maler in der Musen-Metropole.

When Ludwig I became King of Bavaria in 1825, he vowed that he would turn Munich into a city "which would bring such distinction to Germany that no one could claim to know this country if he weren't acquainted with Munich". Under Ludwig I and his son Maximi-lian II, the city's magnificent boulevards, the Ludwigstrasse and the Maximilianstrasse, were built, and also the Maximilianeum, today the seat of the Bavarian Parliament. In the time of Ludwig II, there were no less than 7000 sculp-tors and painters living in this metropolis of the muses.

En montant sur le trône de Bavière en 1825, Louis Ier promit de faire de Munich une ville qui « contribuerait tant à l'honneur de l'Allemagne que personne ne pourrait dire connaître le pays s'il n'avait pas vu Munich ». C'est sous son règne et celui de Max II que naquirent les somp-tueux boulevards, la « Ludwigstrasse » et la Maximilianstrasse ainsi que le « Maximilianeum », siège actuel du Parlement bavarois. Théodore Fontane a affirmé de Munich « qu'elle était la seule ville où des artistes pouvaient vivre ». 7000 sculpteurs et peintres y résidaient au temps de Louis II.

Schon Tacitus beschrieb die Stadt als glänzend, um 1500 war Augsburg eines der mächtigsten Zentren des Handels nördlich der Alpen. Der Augsburger Bankier Jakob Fugger war der erste, der sagen konnte, dass Karl V. ohne seine Bank nie hätte Kaiser werden können. – 500 Jahre lang brauchten die Bürger der wohlhabenden Freien Reichsstadt Ulm, bis sie 1890 den Schlussstein am Turm ihres Münsters setzen konnten, dem mit 161 Metern größten Kirchturm der Welt – ein Meisterwerk alt- und neugotischer Steinmetzkunst.

Tacitus found Augsburg a splendid town. Founded by the Romans to defend the route to Rome, by 1500 Augsburg had become one of the most powerful cities in Europe. It was the home of the Fugger family, who controlled the finances – and therefore the destinies – of Emperors and Popes. – Ulm Muenster has the highest church tower in the world, a masterpiece of Gothic and neo-Gothic stonemasonry. It took 500 years, until 1890, before the citizens of the wealthy free Imperial City could lay the final stone of the 539 feet high spire.

Tacite parlait déjà de la « ville brillante ». Vers 1500, Augsburg était un des plus puissants centres commerciaux au Nord des Alpes. Jakob Fugger, un des grands banquiers de la cité, fut le premier à oser dire à son empereur, Charles-Quint, qu'il ne serait jamais devenu empereur sans le soutien de sa banque. – Il fallut 500 ans aux habitants de l'ancienne ville libre impériale d'Ulm avant qu'ils ne posent la dernière pierre, en 1890, à la tour de leur cathédrale, qui avec une hauteur de 161 mètres, est la plus haute tour d'église du monde entier.

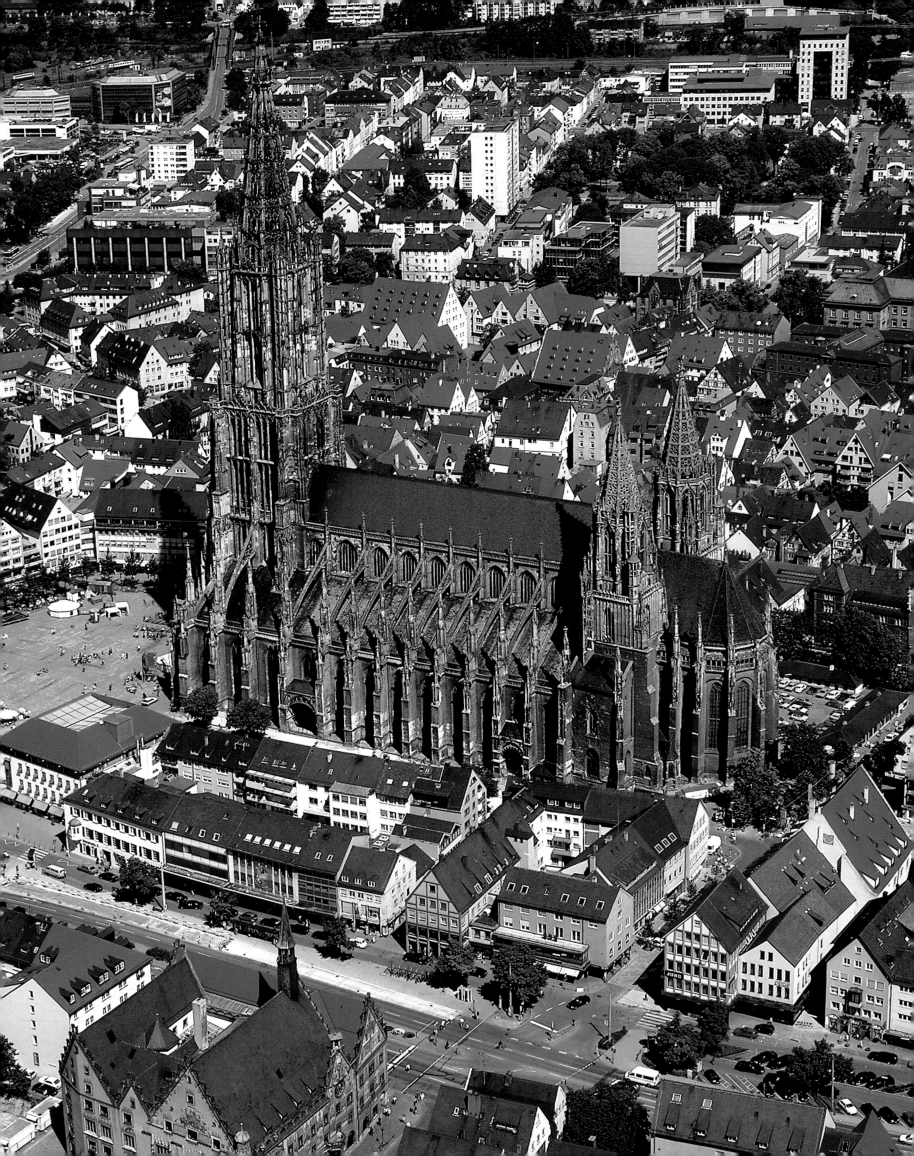

Nürnberg ist die Stadt von Albrecht Dürer und Hans Sachs, im Reim bekannt als „Schuhmacher und Poet dazu". Im Schutz der Festung „Norimberc" waren Stadt und Bürger groß geworden, dann kauften sie die Burg und waren fortan ihre eigenen Herren. Das war 1427. In seiner „Goldenen Bulle" schrieb Kaiser Karl IV. vor, dass jeder neu gewählte Kaiser hier den ersten Reichstag abzuhalten hatte. So sah die Stadt 32 Könige und Kaiser. Als die Romantiker die Stadt wiederentdeckten, galt sie als „des deutschen Reiches Schatzkästlein".

Nuremberg's confusion of red-roofed sandstone buildings crowd together on a hillside below the 12th century castle. In the Middle Ages the walled town was so prosperous that to contemporaries, the towns people's houses looked like palaces. Nuremberg was the town of the mastersingers, later idealised in Wagner's opera, the birthplace of the great artist Albrecht Dürer, the home of some of Germany's greatest goldsmiths, woodcarvers and metalworkers, and a centre for early geographers, mathematicians and scientists. The first pocket watch was invented here.

Nuremberg est la ville d'Albrecht Dürer et de Hans Sachs, connu dans la région comme « cordonnier et poète ». La ville et ses citoyens grandirent ensemble à l'abri de la citadelle Nuremberg. Les habitants achetèrent alors le fort et acquirent leur indépendance. C'était en 1427. Dans sa « Bulle d'Or », une véritable Grande Charte de l'Empire, l'empereur nouvellement élu devait tenir le premier « Reichstag » dans la ville. C'est ainsi que Nuremberg vit défiler 32 rois et empereurs au cours de l'histoire.

Vom damaligen Aussehen der Anlage weiß man wenig. Die mittelalterliche Kaiserburg, die heute wieder aufgebaut vor uns steht, wurde unter Kaiser Friedrich Barbarossa (1152–90) begonnen und von seinen Nachfolgern zur Reichsburg ausgebaut. In ihr vereinigte sich die Bauform der Pfalz aus karolingischer Zeit mit derjenigen einer Wehrburg.

There is little knowledge of how this looked in former times. The medieval Kaiserburg, which was rebuilt as it stands today, was begun under Emperor Friedrich Barbarossa (1152–1190) and subsequently extended to an imperial castle by his successors. It combines the style of the Palatinate from Carolingian times with that of a fortified castle.

On sait peu de choses sur l'aspect qu'avait jadis ce site. La construction du fort médiéval, que l'on peut voir aujourd'hui reconstruit, avait commencé sous l'empereur d'Allemagne Frédéric Barberousse (1152–1190) et fût poursuivie par ses successeurs, qui en firent un château-fort impérial. Son architecture allie le style des châteaux palatins de l'époque carolingienne à celui d'une forteresse.

Bamberg und Bayreuth – zwei Städte im Frankenland, die zu Zeiten mit mehr vaterländischem Pathos auch „Weihestätten der Nation" genannt wurden. Kaiser Heinrich II., „der Heilige" genannt, rief bei der Burg der Babenberger ein Bistum ins Leben. So wuchsen an der Regnitz ein Bischofssitz und eine Bürgerstadt, beide verbunden durch das alte Rathaus, das im Fluss auf einer Brücke steht. Bayreuth ist eine alte Markgrafenstadt mit sehenswertem Altem Schloss und einem prachtvollen neuen Schloss. In aller Munde in der Welt ist die Stadt aber erst seit Richard Wagner.

Bamberg, the town on seven hills, grew up around the castle of Babenberg. The Emperor Heinrich II gave the little settlement a flying start by making it a wedding present to his bride. Heinrich also founded Bamberg's great cathedral of St Peter; he and his wife are buried there. The old Town Hall enjoys an unusual situation, balanced elegantly on an island in the middle of the river between the town and the bishop's palace. Without Richard Wagner, Bayreuth would just be one more charming old German town.

Bamberg et Bayreuth sont les deux plus grandes villes de la Haute-Franconie. En 1007, l'empereur Henri II dit le Saint, créa un évêché souverain dans la ville de Bamberg qui doit son nom aux comtes de Babenberg. Un diocèse et une ville de bourgeois se développèrent alors sur les rives de la Regnitz. L'« Altes Rathaus », le vieil Hôtel de ville, se dresse entre les deux, sur une île artificielle. Bayreuth est une vieille ville de margraves avec un très bel ancien château et un autre impressionnant construit à une époque ultérieure.

Im Jahre 1731, als Markgräfin Wilhelmine erstmals hierher kam, nannte sie die kleine Residenzstadt „Schwalbennest" und „Düngerhaufen". Dass aus Bayreuth eine der bekanntesten deutschen Städte wurde, ist nicht zuletzt ihrer Vision zu verdanken, aus Bayreuth eine Kulturstadt zu machen. Unter Wilhelmine entstand unter anderem das Markgräfliche Opernhaus. Auf Anregung von Richard Wagner wurde außerdem 1876 auf dem Grünen Hügel über der Stadt mit der Finanzhilfe König Ludwigs II. das Wagner-Festspielhaus erbaut – wegen der Akustik ganz aus Holz.

In 1731, Wilhelmine, sister of Frederick the Great and wife of the Margrave of Brandenburg, arrived in the little town of Bayreuth. She dismissed her new home as a swallow's nest and "a dung heap", but it was nevertheless due to her, and to Richard Wagner, that Bayreuth was to become one of the most widely-known towns in Germany. The Eremitage palace and park were among Wilhelmine's creations, as was the splendid Margravial Opera House. In 1876, Wagner built his Festival House, with financial support from Ludwig II of Bavaria.

Quand la margrave Wilhelmine, sœur de Frédéric le Grand, vint à Bayreuth pour la première fois en 1731, elle appela la petite ville « un nid d'hirondelles » et un « tas de fumier ». C'est pourtant grâce à elle et plus tard à Richard Wagner que Bayreuth est devenue une des cités les plus connues d'Allemagne. Wilhemine créa entre autres le château et le parc de l'Eremitage ainsi que l'opéra margravial. En 1876, grâce à son mécène le roi Louis II de Bavière, Wagner faisait ériger son théâtre sur la Grüner Hügel, une petite colline qui domine la ville.

Auf dem Wege ostwärts kam die Donau vor unendlich langer Zeit an die sich hoch vor ihr auftürmenden Ausläufer des Jura. So wie steter Tropfen hat auch sie den Stein ausgehöhlt und schließlich auf einer sechs Kilometer langen Strecke durchbrochen. Die Reise vorbei an den bizarren Felsen gehört heute zu den schönsten Abschnitten der Donau auf deutschem Gebiet. Bei Kelheim mündet die Altmühl in die Donau, inmitten des 300 km² großen Naturparks Altmühltal. Am Eingang des Donaudurchbruchs liegt das Kloster Weltenburg, eine Meisterleistung der Brüder Asam.

Aeons ago, the Danube flowed eastwards to meet a seemingly insurmountable obstacle, a great limestone plateau. Little by little the river carved out a gorge six kilometres long and finally emerged on the other side, hence the name Donaudurchbruch, literally "Danube breakthrough". This valley, with its extraordinary rock formations, is among the most attractive stretches of the Danube in Germany. The exquisite Baroque church of Weltenburg stands near the gorge. It has lustrous frescoes, ornate carving and a striking statue of St George and the dragon in the chancel.

En des temps éloignés, le Danube surgit de l'ouest devant les contreforts élevés du Jura et y perça un étroit défilé d'une longueur de six kilomètres. Le parcours entre des formations rocheuses étranges est un des endroits du fleuve les plus impressionnants sur le territoire allemand. Près de Kelheim, la rivière Altmühl se jette dans le Danube au centre du parc naturel vaste de 300 km d'Altmühltal. Le cloître de Weltenburg, un chef-d'œuvre des frères Asam, se dresse à l'entrée de la percée du Danube.

Altmühl und Donau umfließen die Herzogstadt am Fuße des Michelsberges. Die Befreiungshalle erinnert an den deutschen Befreiungskampf gegen Napoleon I., 1813–1815, war jedoch erst 1863 endgültig fertig. Leo von Klenze baute sie im Auftrag König Ludwigs I. Der Rundtempel antik-römischer Prägung steht auf dem Michelsberg, von Donau und Altmühl begrenzt. Im Inneren befindet sich ein Kranz von siebzehn Engelpaaren, den Siegesgöttinnen.

Kelheim lies south-west of Regensburg, at the confluence of the Danube and the Altmühl rivers. It is best known for the Befreiungshalle (Hall of Liberation) built by King Ludwig I of Bavaria in memory of the Wars of Liberation, 1813–1815, when Germany was finally freed from Napoleonic rule. The Befreiungshalle, which was not completed till 1863, is modelled on Roman temples. Inside, a ring of angels represents the Goddesses of Victory. Authentic Roman buildings are to be found a little further up the Danube in Eining, where there are considerable remains of a Roman fort.

L'Altmühl et le Danube contournent la petite ville ducale de Kelheim au pied du Michelsberg. Sur le massif, se dresse la Befreiungshalle (salle de la Libération) élevée entre 1842 et 1863 par le roi Louis Ier en souvenir de la lutte victorieuse de l'Allemagne (1813 à 1815) contre Napoléon Ier. La rotonde haute de 58 mètres, de style néo-classique, est une œuvre de Leo von Klenze. Elle renferme des déesses de la victoire du sculpteur Schwanthaler et 18 statues dues à Halbig représentant les anciennes peuplades germaniques.

„Die Lage musste eine Stadt herlocken", schrieb Goethe über Regensburg, als er auf seiner italienischen Reise vorüberkam. Die Lage an der Donau lockte schon die Römer, die im Jahre 179 die Stadt hier gründeten als Burg der Königin – und nicht des Regens: Castra Regina. Noch immer führt vom linken Donauufer die über 850-jährige „Steinerne Brücke" in die mittelalterliche Stadt, die größte, die sich so bis heute erhalten hat. Das eindrucksvolle Bauwerk dieser Stadt am Strom ist zweifellos der Dom St. Peter, an dem von etwa 1250 an gearbeitet wurde.

Goethe wrote that the site of Regensburg simply had to attract a city. The fact did not escape the notice of the Celts, who built a settlement here called Radasbona, or the Romans, who converted Radasbona into a huge military camp, Castra Regina. Part of the original Roman wall can still be seen in the Old Town. Later Regensburg grew rich through its trade with Venice and became Bavaria's first capital. Not far from the magnificent cathedral of St Peter, with its two slender spires, stands the Steinerne Brücke, a stone bridge dating from 1140 and still in use today.

« Un endroit idéal pour une ville », écrivit Goethe quand il traversa Ratisbonne alors qu'il se rendait en Italie. L'emplacement sur le Danube avait déjà attiré les Romains qui en 179, fondèrent Castra Regina, la forteresse de la reine. On peut encore voir, dans la Vieille Ville, des vestiges de l'enceinte du camp romain. Le Steinerne Brücke ou vieux pont de pierre, âgé de 850 ans, relie encore aujourd'hui la rive gauche du Danube à la cité médiévale appelée Regensburg en allemand. Son monument le plus impressionnant est le Dôme St. Pierre. Sa construction commença en 1250.

Im Dreieck zwischen Inn und Donau ist Passau gewachsen, die Altstadt auf der engen Landzunge mit dem barocken Dom St. Stephan und der größten Orgel der Welt in seinem Innern. In Passau machten die christlichen Burgunder des „Nibelungenliedes" noch einmal Rast, ehe sie ins Hunnenland zu Etzel zogen – und damit in den Untergang. Nicht zufällig scheint Passau hier erwähnt zu sein: Vermutlich saß in der alten Bischofsstadt auch jener Geistliche, der das Heldenlied als erster aufgeschrieben hat.

Passau lies in the triangle between the Inn and the Danube, with the old part of the town occupying a narrow spit of land and boasting the Cathedral of St Stephen, renowned for possessing the largest organ in the world. The Christian Burgundians in the Nibelungenlied made a last stop in Passau before undertaking the final stage of their (ultimately fatal) journey to visit Etzel (Attila), King of the Huns. It was probably no accident that Passau is mentioned in the poem: It may have been that the cleric responsible for the first written version of the heroic epic lived here.

La ville dont la cathédrale baroque abrite le plus grand orgue du monde, est située sur une étroite langue de terre au confluent du Danube et de l'Ilz. Les Chrétiens des chansons de l'Anneau du Nibelung de Wagner firent halte à Passau avant d'aller affronter les Huns et leur chef Attila. La ville n'est pas mentionée dans la légende par hasard: le moine qui le premier a écrit ces chansons de geste vivait sans doute dans l'ancien siège d'évêché.

Die Majestät wünschte sich im Gebirge ein Schloss, das an Versailles erinnern und eine Huldigung an Ludwig XIV. von Frankreich sein sollte. Siebzehn Pläne waren gezeichnet und wieder verworfen worden, ehe König Ludwig II. den idealen Bauplatz auf der Insel Herrenchiemsee fand. 1878 begannen die Bauarbeiten, doch nach sieben Jahren mussten die Arbeiten wegen Geldmangels eingestellt werden. Die 20 fertiggestellten Prunkräume können besichtigt werden, u.a. auch der spektakuläre versenkbare Tisch. Alles andere befindet sich im unvollendeten Zustand.

King Ludwig II of Bavaria desired nothing more than a palace in the mountains in honour of Versailles and his favourite monarch, the Sun King Louis XIV. Seventeen furile attempts were made to draw up plans for Ludwig's dream palace, until he eventually found the ideal spot, the Herreninsel in the Chiemsee. The construction works began in 1878 but after seven years had to be stopped due to a lack of money. The 20 completed state rooms can be viewed including the spectacular table which can also be lowered out of sight. Everything else is still at the shell-work stage.

Sa majesté désirait un château dans le montagne qui rappellerait Versailles et serait un hommage au roi Louis XIV de France. Dix-sept plans furent dessinés avant que le roi Louis II ne découvre l'endroit idéal sur l'île de Herrenchiemsee qu'il acheta en 1873. Les travaux commencèrent en 1878, mais durent être stoppés au bout de sept ans, faute d'argent. On peut visiter les 20 salles aux décorations et mobilier somptueux qui furent terminées. Le reste du château n'a jamais été achevé jusqu'à ce jour.

SCHLOSS HERRENCHIEMSEE, Palace, Château △   ▽ Spiegelsaal / Hallof Mirrors / Galerie de Glaces   ▽ Arbeitszimmer / Office / Salle de travail

Den schönsten Satz hat Ludwig Ganghofer geschrieben: „Herr, wen Du lieb hast, den lässest Du fallen in dieses Land!" Der Mittelpunkt dieses Landes um Watzmann und Untersberg ist Berchtesgaden, ein Ort, dessen Schicksal vor allem das Salz war. Es machte die reichsunmittelbare Fürstprobstei, die in ihren Anfängen bis zum Jahre 1102 zurückreicht, wohlhabend. Um die Rohstoffversorgung zur Saline von Bad Reichenhall zu sichern, begann man mit dem Bau einer Soleleitung, jedoch sollten 356 m Höhendifferenz mit der „Reichenbach-Pumpe" überwunden werden.

As the Bavarian author Ludwig Ganghofer wrote, "those whom the Lord favours, he sends to live here". Berchtesgaden is the central town of the area around the Watzmann and Untersberg mountains. Its history has been dominated by the salt trade and whoever was provost of this ecclesiastical centre no doubt profited greatly from this lucrative industry. To secure the supply of raw materials for the Saline bath Reichenhall, work was commenced on a brine pipe to overcome the 356 m height difference with the "Reichenbach" pump.

La plus jolie phrase vient de l'écrivain Ludwig Ganghofer: «Seigneur, fais tomber ceux que tu aimes sur ce coin de terre!» Le centre de la région autour du Watzmann et d'Untersberg est Berchtesgaden dont le destin fut longtemps lié au commerce du sel. Il enrichit les seigneurs ecclésiastiques qui régnaient déjà sur le territoire en 1102. Pour exploiter les salines de Bad Reichenhall, on entreprit la construction d'une conduite d'eau salée, mais il fallut surmonter une différence de 356 m de hauteur pour effectuer le pompage de la saumure.

Unter der steilen, für kletterstarke Alpinisten reizvollen Watzmannostwand liegt der acht Kilometer lange und zweihundert Meter tiefe Königssee mit dem auf einer Landzunge gebauten Kirchlein St. Bartholomä. Die Wallfahrtskirche ist das Wahrzeichen des Königssees, und wegen ihrer Lage auf einer Halbinsel kann man sie nur mit dem Schiff erreichen.

The precipitous east face of the Watzmann is recommended only for experienced Alpine climbers. It rises sheer out of the waters of the Königssee, which is 8 kilometres long and 200 metres deep. The little pilgrimage church of St Bartholomew stands in a picturesque setting on a peninsula overlooking the lake.

Sous le paroi est du Watzmann, une ascension appréciée des alpinistes entraînés, s'étend le lac de Königssee long de huit kilomètres et profond de deux cents mètres avec la petite église de St. Bartholomä bâtie sur un promotoire. On peut seulement atteindre par bateau l'église de pèlerinage qui se dresse fièrement sur son promontoire.

BILDNACHWEIS / Table of illustrations / Table des illustrations
Seiten-Nr.

Horst Ziethen . . . . 24(2),32(4), 38, 39(4), 41(3), 42, 43B, 44, 45,
. . . . 46, 47, 48, 49, 50, 63A, 65C, 72B, 73, 76,
. . . . 78b,83, 87,100B, 103, 114D, 115, 116/117,
. . . . 118, 119,121A+B, 122, 124, 126E, 132, 134(2),
. . . . 135,136, 137, 138C, 139, 143D&E+F r.,
. . . . 144, 146, 147, 148/149, 150(2), 151, 154D,
. . . . 156C-E,157A,158/159, 162(4), 163, 164/165,
. . . . 169(4), 175, 178, 180, 182, 183, 188, 194/195,
. . . . 199, 200, Titel, Rücktitel
Stuttgarter Luftbild 18, 19A, 20A,21, 37, 69, 99, 105, 110A,
. . . . 114B, 140/141, 142, 152, 166, 168, 174,
. . . . 176, 196, 197, 203
Fridmar Damm. . . . . 25, 35, 40, 53C, 55, 60, 62, 72(3), 74, 90B+
. . . . D+ F, 96B, 100C, 104B+D, 153, 204
Das Luftbildarchiv/Wennigsen 27, 28/29,36, 51, 54, 57, 58, 64, 66, 67, 68,
. . . . 80, 91, 93, 100A, 109, 111, 125, 130, 202
Punctum Fotografie . . . . 77(3), 78a, 79(3), 86, 90E, 92, 94, 95, 96A,
. . . . 98, 97C, Krammisch 59B, /Schütze-
. . . . Rodemann 71E, 75, Szyska 71C+D,
Schapowalow . . . . /Huber 23, 30, 104C, 156A, 160, 167,
. . . . 192 /Mader 26, / Kirsch 184, 185
Archiv ZPV/Erich Justra. . . . . 126B+D, 127, 128, 129, 131, 133(3), 138A
Karl Kinne . . . . 81C, 84/85, 90C, 102, 121C, 126A, 171A+C
Fritz Mader 33, 34, 191, 201
Werner Otto . . . . 52, 108(2), 112, 113**
Rodrun/Knöll 82, 171B, 173
Schneiders Fotografie 179, 187, 189, 206B
Jürgen Ost-u.Europa . . . . 43A, 53D, 100E+F
BA Huber . . . . 63B, 155 u. Titel, 157

A.Greiner: 20B, 56 · Güther Reymann: 59A, 65A · AKG-Images: 77B, 106 · Foto Lohse: 81A, 88 · H.P. Merten: 107 · Photo Press: 110B, 206A · Michael Jeiter: 120, 138B, · BA Mauritius: 193, 208, 157B ·BA Tipho: 177A · Manfred Storck: 170, 172

DPA/Pfeiffer: 17/Huber: 31/Martin Schutt: 100D/W.-D.Weißbach: 157C · Ullstein /C.T. Fotostudio: 19B ·Restaurant Schiffergesellschaft: 22 · Gerold Jung 39A · BA Helga Lade: 41B · Friedrich Stadtpalast: 43C · Andreas Muhs: 43D · BA Preuss.-Kulturbesitz: 53A · Rainer Weisflog: 53B · Wolfgang Weber: 61 · Huber: 63B, 155 · Roland Weiß: 65B · Foto Hübner: 65D · Günter Franz: 70(2) · Fredi Fröschki: 71A+B · Gerd Mothes: 79 · SLUB Dresden/H. Reineke: 81B · Porzellan-Manufaktur Meissen: 81D · Jürgen Karpinski: 89* · HB-Bildarchiv: 90A · Musischer Schlossberg Planitz e.V.: 97(3) · Barbara Neumann: 101 · Ralf Hirschberger: 104a · Holger Klaes: 114A+C · BA Mauritius: 123 · Manfred Delpho: 126C · Michael Jensch: 126F · Medienfabrik Trier: 133D · Klara Prämassing: 143A · Print &Design Molitor-Kullik: 143B+C · Landesmedienzentrum Rheinland-Pfalz: 145 · Rolf Schädler: 154A · Archiv Südl. Weinstraße e.V.: 154B · Inge Weber: 154C · Rainer Kiedrowski: 156B · WWA Ansbach: 156G · Christian Koch: 161 · Eberhardt Mai: 171A · Verlag Edmund v. König: 177B ·Gunda Amberg: 177C · Luftbild Franz Thorbecke: 181 · BA Rudolph: 186 · BA Kinkelin: 190 · Prisma: 198 ·Xeniel Dia: 205 · Josef Wildgruber: 206C · BA Okapia: 207

Seite 15: Stich aus dem Buch „Bildersaal Deutscher Geschichte" – Archiv Ziethen-Panorama Verlag, Bad Münstereifel

Vorsatz-Rückseite: Deutschlandkarte - Merian

Vor-und Nachsatz-Karte – Deutschland-Panoramakarte von C. Berann, erschienen im © MairDumont GmbH & Co.

*mit Genehmigung der Staatlichen Kunstsammlung, Dresden
** Collage – Ziethen-Panorama Verlag

© Copyright by:

ZIETHEN-PANORAMA VERLAG
53902 BAD MÜNSTEREIFEL, Flurweg 15
Tel.: (02253)-6047 · Fax: (02253)-6756
www.ziethen-panoramaverlag.de

Aktualisierte Auflage 2011

Redaktion / Buchgestaltung:	Horst Ziethen
Textautor / Einleitungstext:	Peter von Zahn, überarbeitet von Markus Schnurpfeil
Bildseitentexte:	Ziethen-Panorama Verlag
Englisch-Übersetzung:	Gwendolen Webster
Französisch-Übersetzung:	France Varry

Produktion: Ziethen-Panorama Verlag

Printed in Germany

ISBN: 978-3-92993-277-5